TECHNIQUES D'IMPACT
pour grandir

illustrations pour développer l'intelligence
émotionnelle chez les adolescents

De la même auteure :

Livres

Fascicules d'Impact en classe : activités éducatives pour développer toutes les intelligences (9 numéros), volume 1 : primaire, Québec, Éditions Académie Impact, 2002.

Techniques d'Impact en classe, Québec, Éditions Académie Impact, 2001.

Techniques d'Impact pour grandir : illustrations pour développer l'intelligence émotionnelle chez les enfants, Québec, Éditions Académie Impact, 2000.

Techniques d'Impact pour grandir : illustrations pour développer l'intelligence émotionnelle chez les adultes, Québec, Éditions Académie Impact, 2000.

Cures de rajeunissement pour vos relations sexuelles, Québec, Éditions Académie Impact, 2000.

Mille feuilles à l'encre et à la crème : 500 lettres et suggestions pour les événements heureux, avec la collaboration de Célyn Bonnet, Québec, Éditions Académie Impact, 1998.

Mille feuilles à l'encre et à la crème : 500 lettres et suggestions pour les événements malheureux, avec la collaboration de Célyn Bonnet, Québec, Éditions Académie Impact, 1998.

Techniques d'Impact en psychothérapie, relation d'aide et santé mentale, deuxième édition, Québec, Éditions Académie Impact, 2002 (©1997).

100 trucs simples pour améliorer vos relations avec les enfants, troisième édition, Québec, Éditions Académie Impact, 2002 (©1999).

100 trucs simples pour améliorer vos relations avec les ados, troisième édition, Québec, Éditions Académie Impact, 2002 (©1999).

Ouvrages en préparation

Intégration par le mouvement des yeux : traitement exceptionnel pour les syndromes post-traumatiques, Québec, Éditions Académie Impact.

Ces livres peuvent être commandés auprès de l'éditeur :

Éditions Académie Impact
1020-B, boul. du Lac
C.P. 4157
Lac-Beauport (Québec)
G0A 2C0

Téléphone : (418) 841-3790
Télécopieur : (418) 841-4491
Téléphone sans frais : 1-888-8GUÉRIR (1-888-848-3747)
Courriel : info@AcademieImpact.com
Site Web : www.AcademieImpact.com

Danie Beaulieu, Ph.D.

TECHNIQUES D'IMPACT
pour grandir

illustrations pour développer l'intelligence
émotionnelle chez les adolescents

ÉDITIONS
Académie
IMPACT

Données de catalogage avant publication (Canada)

Beaulieu, Danie, 1961-

    Techniques d'Impact pour grandir : illustrations pour développer l'intelligence émotionnelle chez les adolescents

    Comprend des références bibliographiques et un index.

    ISBN 2-922762-01-7

1. Émotions chez l'adolescent.   2. Intelligence émotionnelle--Problèmes et exercices.

3. Imagerie (Psychologie)   4. Adolescents--Psychologie.   I. Titre.

BF724.E5B42 2000   155.5'124   C00-901267-2

Page couverture et mise en page : Marianne Tremblay
Illustrations : Nadia Berghella
          Dany Turbide
Collaboration à la rédaction : Marie-Claude Malenfant
Correcteur : Patrick Guay

© Danie Beaulieu, Ph.D.

© Éditions Académie Impact
    1020-B, boul. du Lac, C.P. 4157
    Lac-Beauport, Québec, Canada G0A 2C0
    Tél. : (418) 841-3790 ; Téléc. : (418) 841-4491
    Courriel : info@AcademieImpact.com
    Site Web : www.AcademieImpact.com

Collection Psychopratique
ISBN 2-922762-01-7

Dépôt légal : 3ᵉ trimestre 2000
Bibliothèque nationale du Québec
Bibliothèque nationale du Canada

**Société
de développement
des entreprises
culturelles**

Québec ✤✤

Pour leur programme de publications,
les Éditions Académie Impact reçoivent
l'aide de la Société de développement
des entreprises culturelles (SODEC).

Table des matières

Remerciements

Lorsque l'idée m'est venue de produire ce manuel, je ne disposais pas du temps nécessaire pour me consacrer à sa rédaction. Deux années plus tard, je n'étais toujours pas arrivée à trouver deux minutes pour le commencer. C'est à ce moment que j'ai décidé de faire appel à une rédactrice pour m'aider à mettre en mots ces idées que je tenais tellement à transmettre. C'est loin d'être évident de trouver une personne capable, à partir d'une illustration et d'une bande sonore sur laquelle j'avais énoncé mes idées, de trouver les mots justes pour articuler la pensée de quelqu'un d'autre. Mais j'ai trouvé cette personne exceptionnelle : elle se nomme Marie-Claude Malenfant et elle est titulaire d'un doctorat en littérature française qu'elle a obtenu en France. Marie-Claude a réussi, et avec un rare degré de perfection, à transformer mes paroles parfois nébuleuses en texte bien articulé, clair et finement écrit. Je lui dois également le crédit des titres mêmes de ce livre et des deux autres de la même série *(Techniques d'Impact pour Grandir : illustrations pour développer l'intelligence émotionnelle chez les enfants* et *Techniques d'Impact pour Grandir : illustrations pour développer l'intelligence émotionnelle chez les adultes),* en plus d'avoir contribué à ajouter plusieurs bonnes idées aux techniques présentées.

Je suis également très redevable aux enseignants, parents et intervenants psychosociaux à qui j'ai donné des séminaires et conférences et qui m'ont en retour soumis des exemples de problématiques auxquelles ils se trouvaient confrontés avec leurs adolescents. Sans eux, cet ouvrage n'aurait ni la même richesse, ni la même profondeur.

Pour leur soutien et leur stimulation intellectuelle, je souhaite exprimer ma reconnaissance à tous ceux et celles à qui j'ai présenté des versions préliminaires de ces illustrations : ils m'ont fait part de leur emballement et de leurs commentaires positifs et constructifs. Leur enthousiasme contagieux m'a permis de continuer à croire en ce projet et d'y ajouter plus de variété et de précision.

Merci aussi à vous, chers lectrices et lecteurs. Sans votre soutien et votre intérêt, je ne retirerais pas la même satisfaction de mon travail. Vous me permettez de maintenir cette flamme créative qui m'incite constamment à créer de nouveaux projets.

Certaines personnes semblent avoir hérité d'une confiance innée en elles-mêmes, d'une maîtrise parfaite de leurs pulsions et d'une aisance remarquable dans les relations interpersonnelles. Pour la plupart des adolescents toutefois, il faut de la volonté, de l'enseignement et beaucoup d'entraînement pour développer ces « compétences émotionnelles » et réussir à dominer la tyrannie de leurs humeurs tout en gérant les transformations omniprésentes — et rapides ! — de leur corps et de leur esprit.

L'adolescence est une étape de vie déterminante pour acquérir tous ces outils que l'on regroupe maintenant sous l'expression « intelligence émotionnelle » : cette capacité à persévérer malgré l'adversité, à gérer ses émotions et désirs, à nouer des contacts sains avec son entourage, à s'automotiver et s'autodiscipliner.

Cette période cruciale représente une seconde naissance, pour employer l'expression de Jean-Jacques Rousseau (*Émile ou De l'éducation*, 1762), où le jeune doit travailler à développer toutes ces aptitudes qui lui permettront de devenir un adulte autonome, responsable et heureux. Cette seconde naissance, comme la première, engendre beaucoup de vulnérabilité puisque le jeune ne possède pas encore les connaissances, la force et la confiance pour supporter les multiples échecs inévitables qu'il accumule et les commentaires qui s'y rattachent. Certains choisissent de vivre cette fragilité en se laissant aller à la dépression, d'autres développent des états de négativisme et de révolte qui ne contribuent malheureusement qu'à aggraver leur faiblesse et à éloigner les personnes susceptibles de leur venir en aide.

Ce qui complique encore davantage la situation, c'est qu'aujourd'hui, la majorité des deux parents comme des chefs de famille monoparentale occupent un emploi à l'extérieur de la maison, ce qui se traduit inévitablement par une diminution de la fréquence des discussions et des échanges au sein de la famille, lesquels sont pourtant cruciaux pour établir les fondations de l'intelligence émotionnelle. Dans les faits, la plupart des enfants passent plus de temps à l'école qu'avec leur famille, ce qui force d'ailleurs le système scolaire à élargir sa mission et à élever les émotions et les rapports sociaux au rang de sujet d'enseignement. Les professeurs admettent volontiers qu'ils « élèvent » maintenant leurs élèves beaucoup plus qu'avant…

De plus, les interventions auprès du jeune doivent s'inscrire dans le quotidien — et souvent dans l'urgence. Les nombreuses responsabilités des parents, des professeurs comme des intervenants scolaires et parascolaires limitent, malgré toute leur bonne volonté, le temps dont ils disposent pour chaque enfant ; les interventions doivent en conséquence être rapidement efficaces et facilement assimilables par le jeune.

Compte tenu de toutes ces contraintes, comment offrir aux jeunes un réel soutien et comment les guider dans les apprentissages nécessaires à leur cheminement ?

C'est précisément le défi que veulent relever les *Techniques d'Impact pour Grandir* : par l'utilisation de métaphores et des leçons qui s'en dégagent, elles servent de pont entre le jeune et l'aidant en facilitant la transmission de ces informations tellement importantes. En outre, il s'agit d'un instrument d'une grande souplesse qui laisse amplement de latitude au lecteur qui désire y intégrer son expertise, son intuition et sa créativité. Par ailleurs, les *Techniques d'Impact pour Grandir,* du fait qu'elles utilisent une illustration objective — complètement extérieure au problème du jeune —, permettent d'établir un contact avec l'adolescent sans éveiller ses résistances habituelles. Et comme une image vaut mille mots, l'enseignement qui se dégage de ces illustrations est beaucoup plus important que ce que la seule parole peut offrir.

Une éducation qui stimule le jugement et la réflexion chez le jeune

Les réponses classiques d'adultes, toutes faites à l'avance, enseignent *quoi* penser et non pas *comment* penser. Inculquer le prêt-à-penser s'avère souvent décevant : le jeune, reproduisant les attitudes et les solutions de l'adulte, ne développe pas d'initiative et n'apprend pas comment s'affirmer. Les illustrations proposées dans ce livre fonctionnent tout autrement : en présentant à l'adolescent des images familières, elles lui permettent de puiser dans son bagage de « déjà connu » pour articuler ses propres réflexions. La leçon devient alors d'autant plus valorisante et efficace qu'il l'a identifiée lui-même : cette participation active constitue non seulement un élément indispensable à la construction de l'estime de soi et de la confiance en soi, mais, plus encore, les solutions imaginées sont directement à la mesure du niveau de compréhension et de l'esprit du jeune — puisqu'il les a « trouvées » ou « reconnues ».

Une approche commune

Rares sont les instruments qui s'avèrent suffisamment polyvalents pour pouvoir être partagés par l'ensemble des personnes impliquées dans le développement de l'adolescent. Or, dans ce cas-ci, une intervention soutenue par une métaphore tirée du quotidien peut être aisément réactivée par plus d'un intervenant. En favorisant la circulation de l'information entre les aidants, les *Techniques d'Impact pour Grandir* concentrent efficacement l'action de tous et permettent ce que peu d'outils d'intervention savent offrir : une continuité entre l'enseignement et les divers apprentissages de l'adolescent. Alors que les parents ou les professeurs en feront des utilisations plus ponctuelles ou thématiques, les intervenants psychosociaux pourront s'en servir dans un processus psychothérapeutique à plus long terme, dans le cadre de rencontres individuelles ou de groupe.

Des techniques qui favorisent le respect et la complicité

Le parent, le professeur ou l'intervenant peut facilement intégrer dans le quotidien les notions vues avec le jeune et, ainsi, fournir des points d'ancrage à ses acquisitions. Par exemple, plutôt que de rappeler directement à l'adolescent « arrête un peu de parler, laisse la place aux autres », l'aidant pourrait lui présenter la pancarte routière « Cédez le passage » pour lui rappeler leur discussion à ce sujet. Cette approche valorise le jeune puisqu'elle le renvoie *à la solution* qu'il a trouvée plutôt qu'*à son problème* de manque de courtoisie ou de contrôle. Ce genre de rappel est également moins provocateur que la formulation habituelle et se base sur le langage commun établi entre les deux protagonistes, ce qui ne peut que renforcer la complicité et la relation de confiance entre eux.

Des petits pas qui font une grosse différence

Les interventions sporadiques intégrées au quotidien ne transforment pas les jeunes du jour au lendemain. Toutefois, lorsque ces échanges les rejoignent tout en les respectant et en utilisant un langage qui leur est accessible, leur attitude s'améliore graduellement, leur maîtrise d'eux-mêmes s'affirme et, ainsi, ils sont mieux préparés pour faire face à la vie.

Selon Daniel Goleman (*Intelligence émotionnelle,* 1997), les écoles qui investissent davantage dans l'apprentissage émotionnel et social des jeunes ont vu se développer une culture de « campus » qui transforme l'école en une « communauté sociale », un lieu où les élèves ont le sentiment d'être respectés et d'être liés à leurs camarades, aux professeurs et à l'école elle-même.

Résultat plus percutant encore, constaté par toutes les recherches sur l'impact des programmes de ce genre : le développement de l'intelligence émotionnelle améliore les *résultats scolaires* des jeunes, puisqu'il amène ces derniers à exercer leurs aptitudes à se concentrer, à se motiver eux-mêmes et à persévérer en dépit des difficultés. Ainsi, il apparaît que c'est en débordant du programme d'enseignement traditionnel qu'on parviendrait aujourd'hui à mieux en atteindre les objectifs...

Les habiletés personnelles et interpersonnelles chez nos jeunes ont longtemps été considérées uniquement comme un « plus » ou un privilège, qui devait s'acquérir avec l'expérience ou s'ajouter au programme de formation traditionnelle *quand il restait un peu de temps pour le faire.* Avec les défis actuels et futurs qui attendent la prochaine génération, le développement de l'intelligence émotionnelle devra occuper une place centrale dans une formation globale de l'individu, et ne pourra être atteint que par l'utilisation d'une pédagogie sur mesure.

Ce volume figure parmi les instruments innovateurs dans ce domaine et offre aux parents ainsi qu'aux intervenants scolaires et parascolaires des outils concrets, différents, originaux et « spéciaux », bref, qui sauront plaire aux adolescents.

À l'adolescence, « tous auront besoin de tout leur vouloir-vivre, de toute l'énergie de leur désir à advenir pour affronter cette mort à l'enfance[1] ».

La dure réalité de l'adolescence

Comme l'indique Françoise Dolto, l'adolescence représente l'une des périodes de l'existence les plus difficiles. Plusieurs auteurs s'entendent même pour dire que si les adultes devaient traverser une phase impliquant autant de changements majeurs, ils ne pourraient mentalement le supporter : ils deviendraient fous. Le jeune doit s'approprier graduellement une foule de nouvelles responsabilités (gestion de son temps, de son argent, de ses relations interpersonnelles, sexuelles, acceptation de la métamorphose physique qui s'opère en lui, décision de son orientation professionnelle, renonciation aux invitations malhonnêtes, etc.), sans pourtant posséder l'expérience ni les connaissances nécessaires. Il doit donc procéder par essai et erreur, souvent au plus grand dam de ses parents. Tout comme eux, le jeune se sent déchiré par la distance qui s'installe dans cette relation qui était, il y a peu de temps encore, tellement satisfaisante et privilégiée. Il a l'impression d'avoir été dupé puisqu'il découvre de nouveaux aspects de leur personnalité qui lui avaient jusque-là échappé ; il va sans dire que l'inverse est aussi vrai. Et, tout comme eux, il ignore l'issue de cette zone de turbulence associée de part et d'autre à beaucoup de peurs et d'anxiété.

Déjà en 1792, Jean-Jacques Rousseau[2] décrivait cette seconde naissance comme une période laborieuse :

> Jusqu'à l'âge nubile, les enfants des deux sexes n'ont rien d'apparent qui les distingue ; même visage, même figure, même teint, même voix, tout est égal : les filles sont des enfants, les garçons sont des enfants ; le même nom suffit à des êtres si semblables. (...) Comme le mugissement de la mer précède de loin la tempête, cette orageuse révolution s'annonce par le murmure des passions naissantes ; une fermentation sourde avertit de l'approche du danger. Un changement dans l'humeur, des emportements fréquents, une continuelle agitation d'esprit, rendent l'enfant presque indisciplinable. Il devient sourd à la voix qui le rendait docile ; c'est un lion dans sa fièvre ; il méconnaît son guide, il ne veut plus être gouverné. (...) Sa voix mue, ou plutôt il la perd : il n'est ni enfant ni homme et ne peut prendre le ton d'aucun des deux.

Bien que la description de Rousseau fasse état de réalités toujours actuelles, les statistiques portant sur notre jeunesse révèlent que l'adolescence est un passage déroutant qui s'avère encore plus ardu aujourd'hui qu'autrefois.

Au cours des vingt dernières années, les actes criminels, les maladies mentales et les MTS, le nombre de grossesses et de suicides chez les adolescents n'ont fait qu'augmenter. D'autres problèmes à l'état latent préparent également des crises éventuelles : nos jeunes ont davantage tendance à se replier sur eux-mêmes, ils éprouvent des problèmes relationnels importants, vivent significativement plus d'anxiété et de dépression qu'autrefois, ils ont plus de difficulté à se concentrer et font davantage preuve de délinquance et d'agressivité[3].

Ces données alarmantes sont symptomatiques d'un malaise profond et témoignent d'une ignorance générale des bases de l'intelligence émotionnelle.

Qu'est-ce que l'intelligence émotionnelle ?

Comme le mentionne Daniel Goleman[4], l'intelligence émotionnelle ne se résume pas simplement au fait d'être « gentil » et d'agréable compagnie : elle comprend plutôt plusieurs dimensions complémentaires. La maîtrise

---

[1] Françoise Dolto, 1988, p. 10.

[2] *Émile*, ouvrage publié la première fois en 1792 et réédité à maintes reprises, maintenant disponible chez Flammarion.

[3] D. Goleman, 1997, p. 290-292.

[4] 1999, p. 17.

de soi représente définitivement l'un de ses éléments cruciaux et implique le fait de réussir à contrôler ses pulsions et à retarder la satisfaction de ses désirs comme le fait de ne pas se laisser dominer par des peurs ou des peines au point de ne plus pouvoir penser. L'empathie en constitue un autre aspect dominant : elle se traduit par la capacité de reconnaître les sentiments les plus intimes d'autrui, de comprendre les réactions brusques des autres et de savoir communiquer efficacement de façon à favoriser les relations harmonieuses. L'ardeur et la persévérance dans les difficultés rencontrées ainsi que la faculté de s'inciter soi-même à l'action figurent également parmi les composantes de l'esprit émotionnel. Ensemble, ces aptitudes constituent une sorte d'antidote à la dépression, à la criminalité et aux autres pièges auxquels l'adolescent est confronté.

Le développement de l'intelligence émotionnelle

Contrairement au quotient intellectuel qui demeure stable au-delà de l'adolescence, le « quotient émotionnel », lui, peut se développer tout au long de la vie. Les expériences multiples que l'on traverse ont toutes le pouvoir de l'enrichir, mais il devient de plus en plus évident que, si l'intelligence émotionnelle pouvait faire l'objet d'une pédagogie sur mesure et s'enseigner dans le cadre d'une formation globale de l'individu, nos jeunes seraient plus rapidement outillés pour faire face à leur turbulence et plus solides pour affronter leurs nombreux défis.

Mais comment faire entendre ces grandes leçons à des ados qui ressemblent très souvent à des « lions dans leur fièvre, qui méconnaissent leur guide et qui ne veulent plus être gouvernés » ?

Les discours habituels n'ont, en général, aucun succès auprès des adolescents. Ils ne contribuent au contraire qu'à créer plus de distance encore avec eux ou à alimenter leurs munitions. Ou alors, comme ils savent parfaitement reconnaître le moment où un adulte s'apprête à leur servir une morale, ils débranchent simplement « leurs écouteurs »... à la plus grande frustration des adultes qui, eux, ne peuvent s'empêcher de répéter la leçon, avec un peu plus de force évidemment, en espérant cette fois être entendus, mais en vain ! Bref, le fait d'utiliser le langage verbal pour transmettre nos précieux conseils n'aboutit malheureusement qu'à la détérioration de la relation, du moins dans certains cas !

L'importance de connaître le fonctionnement du cerveau

Si un bon soir vous rentrez chez vous et essayez d'ouvrir la serrure de la porte de votre maison avec la mauvaise clé, allez-vous vous acharner sur cette clé ou alors, réalisant votre erreur, la changer pour prendre la bonne ? La deuxième option est assurément la plus probable. Pourtant, lorsqu'on veut communiquer avec une personne par le verbal et qu'elle ne comprend pas, on s'acharne le plus souvent sur « cette clé verbale » malgré son inefficacité. Or, il existe autant de « clés » que de sens pour inscrire des informations dans le cerveau humain, et certaines sont plus productives que d'autres.

Les neurologues et neuropsychologues ont découvert depuis longtemps que chacun des deux hémisphères du cerveau possède des spécialités et donc des limites et des avantages. L'hémisphère gauche domine sur le plan verbal alors que le droit préfère les informations transmises plus subtilement, non décodées en paroles, comme la musique, les images, les sentiments. Par exemple, une expérience réalisée par Gazzaniga[5] démontre bien la différence entre ces deux modes de fonctionnement. Certains appareils permettent de projeter une image à un seul œil, laquelle est captée et interprétée par l'hémisphère opposé. Lorsqu'il présentait une image au champ visuel droit, donc traitée par l'hémisphère « verbal », mais encore le patient pouvait décrire clairement ce qu'il avait vu. Par contre, lorsque l'information était envoyée au champ visuel gauche, le cerveau droit non seulement n'arrivait pas à traduire verbalement ce qu'il avait enregistré, mais le patient affirmait même n'avoir rien vu. Toutefois, lorsqu'on lui demandait de pointer un objet pouvant représenter ce qui lui avait été projeté, ses doigts se dirigeaient sans hésitation vers la bonne direction !

---

[5] 1999, p. 130.

Les conclusions qui ressortent de cette expérience indiquent que nous pouvons offrir une gamme importante d'informations au jeune, qui s'inscriront en lui, seront comprises, assimilées, mais sans qu'il en soit vraiment « conscient » !

La vue, grande autoroute du cerveau

De toutes les portes qui nous permettent d'atteindre le « centre de commandement » du cerveau, l'audition se révèle, la plupart du temps, la moins efficace, surtout chez les jeunes en difficulté - soit ceux qui se sont souvent fait dire et redire les mêmes choses, qui n'écoutent plus, refusent même la communication et n'enregistrent donc aucunement le message. En revanche, la vision constitue une voie d'accès qui rencontre beaucoup moins de résistance et permet de rejoindre plus efficacement ces jeunes trop souvent catégorisés à la rubrique des « cas désespérés ». Il est démontré par l'ophtalmologie que la vue recueille à elle seule 60 % de toute l'information qui parvient au cerveau. L'intégration de la dimension visuelle dans les interventions auprès des adolescents permet, d'une part, d'accéder à des informations qui demeureraient, autrement, pratiquement inaccessibles et, d'autre part, d'introduire des données qui s'ancreront en eux d'une façon qui dépasse de loin ce que les mots pourraient expliquer, favorisant ainsi une empreinte mnésique plus puissante et significative.

La connaissance du fonctionnement de la mémoire, une autre alliée importante

Les recherches contemporaines portant sur la mémoire ont démontré l'existence de deux systèmes principaux par lesquels les gens enregistrent l'information[6]. En résumant leurs conclusions sommairement, on pourrait dire que la mémoire *déclarative* ou *explicite* réfère à l'enregistrement conscient de faits ou d'événements ; ce sont des informations qui exigent d'être interprétées et traduites sous forme verbale (pensées ou paroles). La mémoire *non déclarative* ou *implicite* assimile plutôt les autres dimensions de l'expérience : par exemple, dans une scène où quelqu'un vous dit qu'il vous apprécie énormément, qu'il est très heureux de vous revoir tout en affichant un air froid et distant, il est fort probable que votre mémoire *implicite* enregistre tout à fait le contraire de ce que la personne vous a pourtant « dit » : la mémoire *implicite,* celle qui décode par l'intuition, le ressenti, est beaucoup plus subtile et sait faire ressortir le message important du contexte.

L'apprentissage *explicite* nécessite donc la participation consciente de l'individu, alors que les leçons *implicites* s'enregistrent et se « voient » sans même que la personne soit capable d'expliquer ce qui a été appris, ni comment. Alors que le bagage *déclaratif* peut facilement être altéré, le *non déclaratif* est beaucoup plus solidement ancré et durable.

Les *Techniques d'Impact pour grandir,* des outils qui s'enregistrent et s'utilisent facilement

Les métaphores présentées dans ce livre offrent l'avantage de s'adresser à l'hémisphère droit, non pas à l'exclusion du cerveau gauche, mais avec sa collaboration. De plus, chacune contient une dimension *implicite* qui facilite sa mémorisation, sans soulever les plaintes et contradictions associées à la communication verbale ou *explicite*. Ces illustrations servent également de pont pour permettre au jeune de se relier au monde qui l'entoure ; sans elles, l'intégration des différentes dimensions émotionnelles est souvent perçue comme trop complexe, trop « adulte » ou trop éloignée de sa réalité. Ces images entraînent automatiquement l'enclenchement de processus mentaux où l'ensemble du bagage du jeune est en éveil... et en transformation, qu'il le veuille ou non, et qu'il en soit conscient ou non.

[6] B.A., van der Kolk, 1996, p. 280.

Ce livre s'impose parmi les instruments innovateurs dans le domaine de l'intelligence émotionnelle et de l'apprentissage par l'hémisphère droit. Il se veut un outil pouvant s'adapter aux différents aspects de la vie des adolescents de manière à leur offrir des leçons qu'ils pourront facilement comprendre et assimiler. Il souhaite également éveiller la créativité des parents et intervenants dans l'exploration de nouvelles pistes de transmission de leur connaissance, non seulement auprès de leurs adolescents, mais également auprès des enfants et des autres adultes.

Mode d'emploi des Techniques d'Impact pour grandir

N.B. La lecture de cette section est indispensable pour l'utilisation optimale de ce livre.

À qui s'adresse ce volume et quel est son but ?

Ce livre a été conçu pour les parents, les enseignants, les aidants naturels et professionnels ainsi que tous ceux qui ont à coeur l'éducation des jeunes. Il a pour objectif d'offrir des axes de travail, des outils de réflexion et des moyens concrets non seulement pour motiver l'adolescent à réussir son cheminement scolaire, mais également pour l'aider à cultiver et développer ses qualités de coeur et ses compétences émotionnelles comme la conscience de lui-même, ses habiletés interpersonnelles, une saine gestion de ses émotions ainsi que la connaissance, l'affirmation et le dépassement de soi.

Éventail des possibilités d'application

Pour chacune des 75 illustrations présentées dans ce livre, vous retrouverez plusieurs possibilités d'exploitation de la métaphore. Chacune porte sur des dimensions spécifiques de l'intelligence émotionnelle. En tout, vous retrouverez quatre différentes rubriques représentées par les pictogrammes suivants :

 les relations interpersonnelles touchent le développement des compétences sociales, qu'il s'agisse des relations avec les amis, les adultes ou les membres de la famille ;

 la maîtrise de soi englobe la gestion de ses émotions, la domination de ses désirs et l'acceptation de ses forces et de ses faiblesses ;

 les réalités scolaires et les comportements à l'école portent, entre autres, sur le respect des règles communes, la discipline, la persévérance et le dépassement de soi ;

 une dernière catégorie, intitulée « divers », regroupe les apprentissages qu'implique la vie quotidienne au sens large, et, chez l'adolescent, ils sont nombreux : apprivoisement de la sexualité, planification de son avenir, entretien ménager, gestion financière, etc.

Vous trouverez par ailleurs un index, à la fin de l'ouvrage, qui recense de façon plus détaillée les problématiques abordées (relations amoureuses et amicales, idées suicidaires, concentration, deuil, éveil de la sexualité, colère, compulsion, etc.).

Rappelez-vous que le but de ce livre est de vous offrir des moyens différents, variés, pour aborder ces problématiques reliées au monde de l'adolescence. Il ne prétend nullement être un manuel de psychologie qui présente de façon approfondie les causes et les traitements de chacune de ces difficultés. Ces informations se trouvent dans des volumes spécialisés et vous retrouverez d'ailleurs plusieurs références pertinentes dans la bibliographie.

Notez également que les suggestions développées pour chaque illustration ne sont que des propositions : vous pouvez les exploiter autrement, en créant vous-même de nouvelles applications ou les remanier en fonction des besoins spécifiques de l'adolescent auprès duquel vous intervenez. Dans ce cas, vous devrez toutefois prendre soin de respecter chacune des étapes élaborées ci-dessous pour favoriser de meilleurs résultats.

Itinéraire des exercices

1. Prenez le temps de faire décrire, dans ses mots et selon ce qu'il en connaît, ce que l'image représente pour le jeune. Avec l'expérience, vous verrez que chaque illustration évoque une signification particulière pour chacun. Vous comprendrez que la puissance de l'exercice dépend du lien direct que vous pourrez établir entre la représentation interne que se fait l'adolescent de l'image et le comportement ou la réaction qu'il aura à modifier ou à développer. Chaque fois que le jeune vous parle de son interprétation de l'illustration, il vous donne accès à son monde intérieur et vous fournit des éléments pour mieux le comprendre ou pour mieux intervenir auprès de lui.

2. Assurez-vous, dans la deuxième section, de l'interroger abondamment sur les différentes particularités de l'illustration, en insistant évidemment sur celles que vous voudrez utiliser par la suite. Par exemple, dans l'image qui traite de l'importance d'établir des relations riches et réciproques, on voit une prise électrique avec une main tenant une fiche prête à y être branchée. Vous devez explorer avec l'adolescent les données de base et les conséquences de l'illustration : laquelle des deux parties fournit de l'énergie ? Que se produit-il si on ne se branche pas ou si on a une fiche à trois branches alors que la prise n'en a que deux ou, encore, si la main qui branche la fiche est mouillée ? Toutes ces questions pourront par la suite être reprises littéralement (à l'étape 3), mais devront être mises directement en rapport avec sa façon d'aborder ses relations avec les autres. Plus vous consacrerez de temps à la seconde partie, plus vous vous assurerez que l'adolescent a bien compris l'idée de base et plus il lui sera facile de créer un lien avec sa propre vie.

3. Sur la base des commentaires de l'adolescent, vous reliez enfin la métaphore au problème auquel il est confronté en réutilisant tout ce qui a été dit dans les première et deuxième parties. Par exemple, si l'illustration présente une île déserte à proximité du continent, à la suite de l'explication détaillée de l'adolescent sur cette métaphore, vous la reliez à sa vie personnelle en lui demandant par exemple si, lui aussi, dans la vie de tous les jours, il se sent isolé, s'il voit des ressemblances entre lui et tous les autres (entre l'île et le continent), s'il connaît une façon de rejoindre les personnes qui l'entourent, s'il lui est plus facile d'entrer en contact avec les autres lorsqu'il est dans de bonnes conditions, etc.

Prenez le temps de laisser s'exprimer le jeune sur ces points ; vous pourriez être surpris par la richesse et l'inventivité de ses réponses. Laissez-lui toute la latitude voulue pour établir lui-même les premières connections. Détaillez ensuite les liens plus complexes qui pourraient enrichir l'expérience, en vous assurant évidemment de respecter son niveau d'apprentissage pour qu'il en saisisse bien tous les aspects.

Ancrages de la métaphore

Afin d'optimiser les résultats de l'exercice et d'en fixer les bénéfices de façon durable, je vous suggère fortement de développer le plus d'ancrages possible de la métaphore dans la réalité de l'adolescent. Voici des propositions de stratégies favorisant l'intégration des métaphores au-delà du cadre de l'exercice lui-même.

a) Au risque de me répéter, laissez beaucoup de place à l'adolescent pour s'exprimer et pour établir par lui-même les relations appropriées. Récupérez ensuite ses mots, ses perceptions, ses expressions. Efforcez-vous de demeurer large et de considérer en priorité sa façon de voir les choses plutôt que la vôtre : il sera alors beaucoup plus facile pour lui de se remémorer les leçons de l'exercice.

b) Demandez au jeune d'afficher l'illustration dans un endroit visible (sur le réfrigérateur, sur la porte de sa chambre...). Accordez-lui une place de choix dans son milieu de vie pour qu'il la voie fréquemment et qu'elle lui serve ainsi de rappel de votre conversation.

c) Intégrez dans votre vie quotidienne les notions que vous avez vues ensemble, en faisant allusion à la métaphore (et non à la consigne) : plutôt que de lui rappeler directement « commence tes devoirs si tu veux les finir », demandez-lui plutôt s'il a bien respecté le signal de départ. Ce genre de rappel est moins provocateur que la formulation habituelle et le respect qu'il implique renforce les liens entre vous.

d) Certaines illustrations ont été élaborées de façon à favoriser une participation active du jeune, qu'il s'agisse de faire le plus de mots possible à partir de quelques lettres, de lire une phrase dans un triangle ou de découvrir la signification de certains termes étrangers. L'implication active du jeune dans le processus renforce l'efficacité des apprentissages. Il est donc très important de lui laisser faire ce travail seul.

e) Il est mentionné à quelques reprises dans les textes d'exercer le jeune par jeu de rôle. Si, par exemple, vous abordez son besoin de s'affirmer davantage auprès de ses amis, incarnez l'un de ces rôles en inventant une situation typique et mettez ensemble à l'essai des attitudes qui lui permettraient de prendre davantage sa place auprès d'eux. Cette partie d'expérimentation n'est pas systématiquement mentionnée, mais elle peut ajouter une dimension concrète et tangible à l'exercice, ce qui s'avère pratiquement indispensable dans la majorité des cas. Fiez-vous à votre intuition pour évaluer la pertinence de faire intervenir ce type d'activité dans la démarche.

f) À la suite du travail réalisé avec les illustrations, créez des occasions pour permettre à l'adolescent de développer les nouvelles compétences souhaitées : donnez-lui de petites responsabilités, des devoirs qui le placeront en situation de mettre en pratique les habiletés qu'il a à développer ou améliorer. Toute expérience ou succès qui peut lui faire comprendre « je peux réussir à faire cela » est un puissant renforcement pour l'estime qu'il a de lui-même et pour une plus grande maîtrise de son intelligence émotionnelle.

Cibler l'intervention

Vous remarquerez au cours de votre lecture qu'un même concept ou comportement problématique peut être abordé à l'aide de différentes métaphores. Cette répétition est tout à fait volontaire : elle a pour but de vous proposer plusieurs angles d'approches, d'apporter des compléments et de raffiner les détails de votre intervention de façon à mieux l'adapter à la personnalité de l'adolescent et aux circonstances ponctuelles. Vous pouvez consulter l'index afin d'identifier les séquences d'illustrations qui abordent le problème à traiter et choisir celles qui vous sembleront les plus adéquates.

Par ailleurs, je déconseille de faire subir à l'adolescent un « traitement choc » en le soumettant à tous les exercices du livre, d'un couvert à l'autre. Vous risquez de diluer le message en multipliant les sens de la métaphore, de diminuer ainsi l'impact de l'expérience et de créer chez le jeune plus de confusion que de clarté. Je vous recommande en conséquence de vous limiter à une seule utilisation de l'illustration (parmi les deux ou trois suggérées) et de recourir, tout au plus, à une ou deux métaphores pour traiter d'un même sujet. Par exemple, si le jeune éprouve de sérieuses difficultés à se concentrer en classe, vous pourriez sélectionner deux illustrations différentes, que vous n'aborderez que sous l'angle du problème d'attention, en des séances successives.

Consignes générales pour augmenter l'efficacité de vos exercices

a) Dans l'ensemble, je ne saurais vous recommander avec trop d'insistance de vous approprier de façon personnelle le matériel pédagogique qui vous est proposé : votre mimique, votre ton de voix et votre insistance sur certains détails de l'image viendront éveiller l'intérêt de l'adolescent, le rendront plus réceptif et faciliteront une meilleure intégration des éléments de l'exercice. Également, assurez-vous de bien posséder la métaphore que vous vous apprêtez à utiliser avant de l'appliquer, sinon vous risquez d'être surpris par les commentaires du jeune et de vous retrouver dans l'impossibilité de vous adapter rapidement à son vécu. Pour que l'expérience profite vraiment au jeune, il est essentiel que vous puissiez vous adapter au contenu qu'il vous apportera plutôt que de vous entêter à lui faire avaler la leçon à laquelle vous vous étiez préparé.

b) Sollicitez le jugement de l'adolescent en lui posant des questions du genre : « As-tu une meilleure idée ? Comment pourrais-tu développer cela dans ta vie ? Quel serait un plan gagnant ? » Cette approche est beaucoup plus valorisante puisqu'elle fait appel à son bon jugement et lui apprend à réfléchir.

c) L'art du renforcement positif figure parmi les stratégies pédagogiques les plus puissantes et les plus importantes à maîtriser pour toute personne qui intervient auprès d'un jeune. Tout être humain a besoin d'être apprécié pour ce qu'il est et pour ce qu'il fait. Et l'adolescent, qui est en apprentissage de la vie et à la recherche de sa place dans le monde, a un besoin particulièrement vital de voir ses progrès soulignés, d'être supporté dans ses échecs et de sentir qu'il est une personne valable quoi qu'il arrive[1].

d) Centrez-vous uniquement sur ce que l'adolescent *peut* faire, sur ce qu'il *peut* réussir. Évitez de comparer son état à celui des autres et de généraliser les particularités de sa situation. Chaque jeune requiert une intervention sur mesure, spécifique, en fonction de sa personnalité, de ses forces et de ses faiblesses. Si vous pouvez respecter cette règle, vous lui apprendrez du même coup le respect et l'estime de lui-même.

e) N'oubliez pas que les adolescents apprennent beaucoup par imitation. Chaque geste, chaque mot, chaque réaction, chacun de vos échanges avec lui viendront nourrir ou éteindre ces aptitudes et qualités que vous voulez voir s'épanouir en lui.

f) Il doit être mentionné que RIEN ne fonctionne éternellement et qu'aucun outil n'est universel. En d'autres termes, nous ne pouvons prédire quelle technique donnera les meilleurs résultats puisque chaque personne est unique. Vous devrez expérimenter et ne pas vous laisser abattre si votre jeune ne semble pas être rejoint par l'exercice, en dépit de tous vos bons soins. Il n'existe tout simplement pas de substitut à la patience et à la volonté de répéter lorsqu'il s'agit d'intervenir auprès des jeunes. Gardez toujours à l'esprit que les bénéfices des efforts investis en valent largement le travail.

---

[1] J. Nelsen, 1994, p. 193.

g) Finalement, je sais que plusieurs adultes redoutent d'être ridiculisés par les jeunes en adoptant ce genre de techniques. Voici ce qu'en pense Françoise Dolto[2], célèbre psychanalyste auteure du livre *La cause des adolescents* :

> « C'est un âge fragile mais aussi merveilleux parce que réagissant aussi à tout ce qui est fait de positif pour lui. Seulement les adolescents ne le manifestent pas sur le moment. C'est un peu décevant pour l'éducateur qui ne voit pas les effets immédiats. Je ne saurais trop inciter les adultes à persévérer. Je dis et répète à tous ceux qui les enseignent et se découragent, de chercher à les valoriser : continuez, même si le jeune semble « vous mettre en boîte », comme on dit. Quand ils sont à plusieurs, ils mettent souvent en boîte un aîné, et quand ils sont tout seuls, cette personne est pour eux quelqu'un de très important. Mais il faut supporter d'être chahuté, en ayant cette perception : oui, je suis chahuté parce que je suis un adulte, mais ce que je leur dis les aide et les soutient. »

L'apprentissage est tributaire de la qualité du contact que vous établirez avec le jeune

Je vous encourage vivement à considérer ces exercices comme l'occasion d'une rencontre authentique et sincère avec l'adolescent. Ne vous crispez pas trop sur l'atteinte de l'objectif final (« S'il pouvait donc enfin arrêter de consommer !!! ») ; placez-vous plutôt dans un état de réceptivité, gardez toute votre souplesse et votre agilité d'esprit, afin de bien comprendre la logique du jeune. Retenez aussi qu'au-delà des enseignements dont vous souhaitez lui faire profiter, chacune des illustrations que vous travaillerez avec lui vous procurera à tous les deux des moments précieux de rapprochement et de plaisir. L'adolescent a grand besoin d'apprendre, mais il éprouve un besoin encore plus grand d'amour et d'acceptation. Comme le disait Guillemette Isnard : « frotter le bras d'un enfant qui s'est cogné n'enlève pas sa blessure mais apaise sa douleur[3]. » Ainsi votre affection, votre tendresse et votre patience à son égard n'élimineront pas ses faiblesses, mais l'aideront à mieux les accepter et les contourner.

Et si je n'utilise pas bien les métaphores ?

Inquiet à l'idée de faire des erreurs ? Évidemment... comme tout le monde ! Cela fait partie du processus d'apprentissage. De plus, il ne faut pas oublier que, pendant que l'adolescent est à améliorer ses interactions avec le monde extérieur, nous sommes, nous aussi, à peaufiner constamment nos interactions avec lui, qui est devant nous et qui change à la vitesse de l'éclair ; il est très souvent difficile de garder le rythme ! Mais tout cela devient plus facile lorsque l'on réalise que les erreurs offrent de merveilleuses occasions d'apprendre et de s'améliorer, pour nous comme pour le jeune qui nous tient à cœur. Nous faisons tous beaucoup d'erreurs pendant notre parcours, mais si nous pouvons les accepter et les corriger, nous pourrons alors faire face à n'importe laquelle de nos bévues et en faire profiter tout le monde, à commencer par l'adolescent.

---

[2] 1988, p. 19.
[3] 1995, p. 121.

Obligation de céder le passage

1. Cédez

1. Demander à l'adolescent de décrire l'illustration à sa façon.

2. Mettre en évidence la métaphore à exploiter.

Pour aider l'adolescent à gérer ses interventions, qu'elles s'avèrent trop nombreuses ou, au contraire, trop peu fréquentes, en prenant conscience du code de conduite implicite qui régit les échanges interpersonnels.

▸ Même si l'adolescent ne possède pas encore son permis de conduire, il connaît certainement déjà les signaux routiers les plus communs. Vérifiez tout de même si la signification de ce message lui est familière, en précisant au besoin qu'il constitue une obligation de céder le passage aux voitures qui ont la priorité. Discutez avec lui de ce qu'il adviendrait si personne ne respectait ces signaux. Le jeune saura répondre que le non-respect du code de la route augmenterait le risque d'accidents ou de congestion de la circulation.

3. Relier la métaphore à un problème auquel est confronté l'adolescent.

Même si ces signaux n'existent pas concrètement dans nos relations avec les autres, ils sont tout de même présents implicitement dans le code de conduite qui régit la circulation des échanges sociaux afin d'éviter les accrochages qui risquent de se produire lorsque des personnes interagissent. Si l'adolescent a pris l'habitude de parler constamment sans nécessairement écouter l'autre, la métaphore vous permettra de l'amener à réaliser qu'en cédant le passage de temps à autre, il lui sera plus facile de créer des relations saines et riches, où chacun se sent respecté et digne d'attention. Si ses interlocuteurs éprouvent pour leur part quelque timidité et hésitent à s'affirmer, à prendre leur place, vous pouvez lui suggérer des façons de céder le passage qui les incitent à participer aux discussions en valorisant leur opinion : il peut par exemple poser des questions (« qu'est-ce que tu en penses ? », « est-ce que tu es du même avis ? ») ; il peut encore s'obliger à se taire quelques instants afin de donner à l'autre la chance d'initier une conversation, etc.

À la maison, les aînés comme les benjamins accaparent aisément toute l'attention des parents au cours des repas ou des activités familiales ; la dynamique familiale évolue ainsi d'une façon inéquitable pour les autres membres, moins portés à intervenir spontanément que ceux-ci, ce qui augmente les risques de conflits. Abordez la question avec l'adolescent en lui demandant s'il a tendance à céder naturellement le passage : respecte-t-il ces consignes implicites du code de communication ? Comment évaluerait-il, sur une échelle de 0 à 10, sa capacité à céder le passage ? Auprès de celui qui cède trop facilement, intervenez plutôt en faisant ressortir que les voitures qui n'osent prendre leur place dans la circulation demeurent sur le bas-côté de la route et n'avancent pas. Qu'en est-il de son propre véhicule en société ? Avance-t-il comme il le voudrait ou piétine-t-il trop souvent sur place en attendant que les autres lui cèdent la parole ?

Faites réfléchir l'adolescent à certaines occasions où il a cédé le passage, alors qu'il n'était pas d'accord, qu'il avait une autre opinion sur un sujet, etc. Était-ce approprié ? Qu'aurait-il pu faire d'autre ? Par ailleurs, lui est-il arrivé de ne pas céder le passage alors qu'il aurait dû se l'imposer ? Comment aurait-il pu le faire ? Quel aurait été le dénouement de la situation dans ce cas ?

L'idée de laisser l'image au jeune pour lui servir de rappel peut s'avérer particulièrement judicieuse dans le cas de cette métaphore ; à défaut, l'adolescent peut toujours dessiner sur sa paume le symbole du « Cédez » ou encore s'exercer à le visualiser pour qu'il surgisse dans son esprit et l'aide à contrôler son débit verbal dans le cadre de relations où il tend généralement à prendre trop de place (dans la classe, à la maison, etc.).

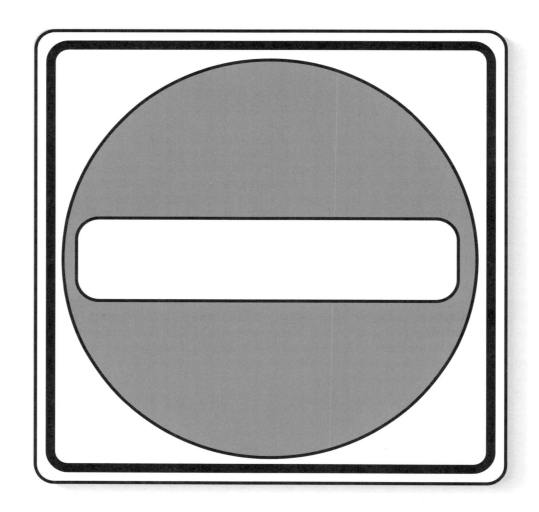

Accès interdit

2. Accès interdit

Pour aider l'adolescent à évaluer les conséquences encourues par le fait d'emprunter une mauvaise voie.

1. Demander à l'adolescent de décrire l'illustration à sa façon.

2. Mettre en évidence la métaphore à exploiter.

> ▸ Vérifiez auprès de l'adolescent s'il connaît la signification de ce panneau de signalisation ; dans le cas contraire, expliquez-lui qu'il a pour fonction d'interdire l'accès à une bretelle d'autoroute, une ruelle ou une rue où les voitures circulent en sens unique. Discutez avec lui des conséquences qui pourraient découler du non-respect de cette signalisation. L'adolescent saura probablement que le conducteur qui s'engage à contresens dans une voie ne pourra suivre son chemin, sera inévitablement bloqué par la circulation qui vient en sens inverse et risquera de provoquer un accident. En outre, les manoeuvres pour sortir de ce faux pas s'avèrent difficiles et complexes, car tandis que le véhicule tente de reculer pour retourner dans une voie qui lui est accessible, les autres voitures continuent de venir à sa rencontre et ne comprennent vraiment la situation qu'au moment où il leur est pratiquement impossible de ralentir ou de l'éviter.

> ▸ Abordez avec l'adolescent l'importance des symboles universels pour régir la circulation dans la majorité des pays. Ce dernier devra être amené à réaliser que ces pictogrammes ont pour fonction d'assurer la circulation selon un code unifié d'un pays à l'autre, de sorte qu'un conducteur puisse aisément s'y insérer sans provoquer de congestion ou d'accidents, même lorsqu'il conduit sur les routes d'un pays qui lui est étranger — et dont, parfois, il ne possède pas la langue d'usage.

3. Relier la métaphore à un problème auquel est confronté l'adolescent.

Il est normal que les jeunes doivent, à différents moments de leur croissance, tenter différentes expériences et explorer des directions nouvelles pour mieux connaître leur propre personnalité, découvrir ce qui leur est agréable ou désagréable et évaluer les réactions de leur entourage devant ces comportements inusités. Il est inévitable que certains empruntent alors des voies dont l'accès est socialement interdit à cause de leur degré de dangerosité, comme le vol, la drogue, les relations sexuelles non protégées, le port d'arme blanche ou d'arme à feu, etc. Demandez à l'adolescent s'il lui est déjà arrivé d'emprunter une voie interdite : s'est-il rendu bien loin sur cette route ? A-t-il croisé des voitures qui venaient en sens contraire, c'est-à-dire des personnes qui se sont opposées à la direction qu'il prenait ? L'ont-elles frappé ? Comment s'est-il remis de cet accident ? Dans le cas contraire, si le jeune s'est livré à des actes illicites sans jamais se faire pincer, expliquez-lui qu'il a peut-être eu de la chance jusqu'à maintenant, mais que, tôt ou tard, à avancer ainsi à contresens sur l'autoroute, il circule tout d'abord beaucoup plus lentement que s'il était dans la bonne voie et, de plus, les probabilités d'un accident atteignent les proportions d'une certitude.

La métaphore permettra également d'aborder le sujet de la protection des relations sexuelles, en amenant d'abord l'adolescent à préciser quels sont les risques encourus lorsqu'une personne ne se protège pas et emprunte la voie interdite (une grossesse non désirée ou une maladie transmise sexuellement). Les adolescents ont habituellement tendance à vivre leur sexualité dans un esprit de pensée magique qui caractérise tout à fait leur âge : « ça ne m'arrivera pas à moi », « j'ai confiance en lui ou en elle : il ou elle a l'air propre et en santé et il n'y a donc aucun risque ». Si nécessaire — et cela s'avérera fort probablement le cas —, faites visualiser au jeune le panneau de signalisation ainsi que les circonstances dans lesquelles il devra lui apparaître à l'esprit afin qu'il développe le réflexe de réfléchir aux conséquences de la voie interdite au moment où il va s'y engager. Cette métaphore peut d'ailleurs servir de point de départ à la discussion, pour le garçon comme pour la fille, lorsque vient le moment d'exiger le port du condom.

Chaussée glissante

3. Chaussée glissante

Pour aider l'adolescent à identifier les déclencheurs internes et externes de ses débordements d'humeur ou pour évaluer son degré de contrôle sur lui-même.

1. Demander à l'adolescent de décrire l'illustration à sa façon.

2. Mettre en évidence la métaphore à exploiter.

▶ Expliquez à l'adolescent la signification de ce symbole s'il ne le connaît pas déjà : lorsque les conditions météorologiques se détériorent (lorsqu'il pleut, qu'il gèle ou qu'il neige), la chaussée devient plus glissante et les conducteurs doivent faire preuve de prudence en ralentissant afin d'éviter de déraper : les imprudents risquent non seulement d'être éjectés de la route, mais peuvent entraîner d'autres véhicules dans l'accident en provoquant un carambolage.

3. Relier la métaphore à un problème auquel est confronté l'adolescent.

La versatilité d'humeur des adolescents peut être fulgurante : de la bonne humeur à la colère, il n'y a parfois qu'une fraction de seconde. Ce caractère imprévisible du tempérament résulte souvent des bouleversements hormonaux, qui influent directement sur la réception et l'interprétation des événements, mais également du fait que toutes ces transformations physiques et psychologiques exigent beaucoup de leur énergie, ce qui augmente leur irritabilité. Demandez à l'adolescent dans un premier temps d'identifier les déclencheurs de sa mauvaise humeur : si l'eau, la glace et la neige rendent la chaussée glissante, quels sont les éléments qui favorisent les dérapages chez lui ? Le manque de sommeil ? Le manque d'assiduité dans ses travaux scolaires ? Une attitude provocante de la part d'une personne avec qui il se sent en rivalité ? Sa malpropreté qui suscite les quolibets humiliants des autres ? Au terme de cette exploration, il sera plus facile au jeune de comprendre qu'il est le plus souvent en son pouvoir de minimiser les risques à la base, en évitant d'en reproduire les conditions préalables.

Il existe par ailleurs des déclencheurs sur lesquels il n'a pas de prise et qui peuvent le faire déraper vers la colère ou la tristesse profonde : la mauvaise humeur persistante de quelqu'un de son entourage, l'emprunt non consenti d'un vêtement ou d'un objet préféré par le petit frère ou la petite sœur, le malheur d'une amie qui est enceinte sans l'avoir désiré, etc. Le fait de reconnaître les conditions ou événements qui le fragilisent le prépare à mieux y réagir : au moment où l'on se sait plus sensible à tel ou tel déclencheur, il est alors possible d'être plus vigilant lorsque l'on détecte sa présence et la réaction s'avère déjà moins vive et intense qu'en cas de surprise totale. Expliquez à l'adolescent que les éclats et les écarts ne disparaîtront évidemment pas d'eux-mêmes parce qu'il en aura identifié les sources, mais qu'il sera néanmoins mieux préparé à les pressentir et à en circonscrire la force et la durée.

Le besoin d'être accepté à tout prix et de s'intégrer dans un groupe peut rendre plus influençables encore certains adolescents. Il s'ensuit alors un dérapage des valeurs et besoins fondamentaux du jeune, qui tendra à adopter ceux préconisés par ses nouveaux compagnons. Faites-le réfléchir sur le fait qu'en confiant ainsi à d'autres la responsabilité de mener sa vie, il ne détient plus le contrôle de la direction de son véhicule. Est-il vraiment prêt à suivre aveuglément cette voie ?

Il est possible également que l'adolescent soit animé des meilleures intentions du monde en voulant secourir un ami qui éprouve des problèmes d'argent et se laisse alors exploiter, en donnant de son temps, de son argent et tout son support à celui qu'il veut soutenir : en consacrant ainsi le meilleur de lui-même au problème de l'autre, il risque d'être entraîné avec lui lorsque la chaussée devient glissante. Peut-il identifier des amis ou des connaissances qui appartiennent au type « chaussée glissante » ? Leur est-il déjà arrivé de sortir de la route, soit en connaissant des échecs scolaires, en étant chassés du domicile familial, reniés par leurs amis, etc. ? Serait-il possible au jeune de délimiter jusqu'où il désire aller sur la voie de l'accompagnement de cet ami ? Peut-il se promettre à lui-même d'arrêter de rouler lorsqu'il sent qu'il est entraîné sur une chaussée glissante ? En toute franchise, croit-il vraiment qu'il sera capable et suffisamment sûr de lui pour s'arrêter à ce moment-là ? Quelles seraient les précautions à prendre pour y parvenir ?

Pente raide

4. Pente raide

1. Demander à l'adolescent de décrire l'illustration à sa façon.

2. Mettre en évidence la métaphore à exploiter.

Pour aider l'adolescent à détecter les événements ou les conditions qui l'entraînent dans des pentes où il perd le contrôle de lui-même et, surtout, à identifier les mécanismes de freinage qui lui permettent de maîtriser pleinement la situation.

▸ Si nécessaire, donnez la signification de ce panneau de signalisation : une pente abrupte exige des conducteurs non seulement beaucoup de vigilance au cours des prochains kilomètres, selon ce que spécifie l'indication routière, mais encore doivent-ils ralentir avant de s'y engager afin de demeurer en plein contrôle de leur véhicule.

3. Relier la métaphore à un problème auquel est confronté l'adolescent.

T'arrive-t-il de rencontrer des pentes abruptes qui te font glisser rapidement vers la dépression, la déprime, le désarroi, le désespoir, le manque de confiance en toi-même, en tes ressources ou en la vie en général ? L'adolescence constitue une portion d'itinéraire de vie particulièrement ponctuée de ce type d'obstacles : la réalité de cette période est qu'il est souvent nécessaire de fournir beaucoup d'efforts, car le chemin est plus difficile à suivre et la conscience de ses propres faiblesses se fait plus aiguë puisque le jeune prend l'habitude de se comparer plus souvent aux autres — et généralement à des modèles qui réussissent mieux que lui.

Identifiez avec l'adolescent les déclencheurs des pentes abruptes de son parcours psychologique : un échec, le divorce des parents, une maladie, le suicide d'un ami, les conditions financières de sa famille qui ne lui permettent pas de porter les mêmes vêtements ni de pratiquer les mêmes activités que ses amis, etc. Que peut-il faire lorsqu'il reconnaît les signaux de pentes abruptes sur sa route ? Comment peut-il ralentir ? Selon les situations, l'adolescent identifiera certaines de ces stratégies (ou d'autres) : ne pas prendre de décision impulsive ; formuler des attentes réalistes à l'égard de ses performances ou de ses réussites sur les plans affectif, social ou scolaire ; se donner un délai raisonnable pour franchir les premières étapes d'un deuil ou d'un divorce, etc. Le cas échéant, faites prendre conscience au jeune qu'il est parfois possible de changer de route plutôt que de s'obliger à suivre la pente : s'il reçoit une invitation à commettre une action illégale ou immorale, il a toujours le choix de l'accepter en risquant de rencontrer une pente abrupte sur son chemin ou de refuser en empruntant une autre route où il sait pouvoir mieux contrôler son véhicule.

Certaines pentes ne sont pas signalées par des panneaux : elles sont habituellement de courte amplitude, mais on risque quand même d'y perdre le contrôle. En général, elles résultent des changements hormonaux, mais le fait qu'elles soient inévitables et imprévisibles n'implique pas nécessairement que le jeune ne puisse rien y faire. Il peut appliquer les freins en s'obligeant à se taire plutôt que de suivre l'impulsion qui l'incite à exploser, crier, prononcer des paroles qu'il regrettera ensuite ou en différant le moment de prendre sa décision et en n'accordant pas trop de crédit aux solutions qui lui viennent à l'esprit en ces moments-là. En effet, en situation de crise ou en état d'urgence, ce sont des solutions d'urgence qui se présentent à nous ; elles ne sont pas fondées sur une analyse objective de la situation, mais ont plutôt pour fonction de chercher à évacuer rapidement le problème et non de nous inciter à y faire face. En outre, il demeure toujours possible de solliciter l'avis de quelqu'un en qui il a confiance pour tenter d'analyser plus objectivement la situation : un parent, un intervenant scolaire ou parascolaire, un membre de la famille, un adulte significatif ou un ami, pourvu que cette personne ne soit pas elle-même au beau milieu de la situation où il glisse actuellement.

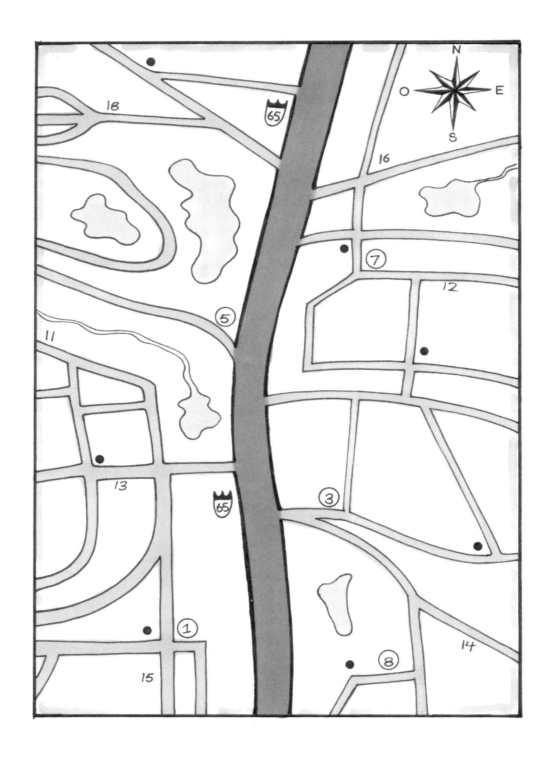

5. Carte routière

1. Demander à l'adolescent de décrire l'illustration à sa façon.

2. Mettre en évidence la métaphore à exploiter.

Pour aider l'adolescent à imaginer et planifier les grandes étapes de son avenir, lui permettre de préciser ce qu'il veut devenir, le rassurer sur la nature du voyage qu'il entreprend et le préparer aux grandes découvertes qui l'attendent.

▶ Demandez à l'adolescent d'essayer d'imaginer les difficultés d'orientation qu'il connaîtrait s'il arrivait dans une nouvelle ville ou parcourait les routes d'un pays inconnu sans carte routière. Afin de ne pas perdre de temps et de ne pas s'égarer dans des chemins de traverse, il est préférable d'établir un itinéraire précis avant le départ et d'identifier sur la carte certains repères comme le nom de quelques artères principales et la localisation de certains immeubles caractéristiques de la ville que l'on veut découvrir. Même en prenant ces précautions et en consultant régulièrement la carte en route, il demeure toujours un risque de se perdre : il faut alors rectifier son parcours en prenant le temps d'arrêter la voiture pour bien observer la situation ou encore en demandant des indications plus précises aux gens qui habitent l'endroit et le connaissent bien.

3. Relier la métaphore à un problème auquel est confronté l'adolescent.

As-tu déjà tracé une carte de ton avenir ou as-tu déjà envisagé de le faire ? Peux-tu te former une idée d'ensemble de ce que tes ambitions exigeraient comme cheminement scolaire et personnel ? As-tu commencé à franchir certaines étapes de cet itinéraire ? Sinon, combien de temps veux-tu accorder encore à ton indécision actuelle ? Le jeune devra peut-être en effet se faire rappeler qu'il ne suffit pas de dresser et connaître un parcours, mais qu'il faut encore passer à l'action et se mettre en route pour parvenir au but. Peut-il déjà admettre qu'il ne s'agira probablement pas d'un trajet tout en lignes droites, mais qu'il rencontrera des courbes qui l'éloigneront momentanément de son but (des exigences imprévues ou des changements d'itinéraires) ou des difficultés de la route qui ralentiront sa vitesse de croisière ? Prévoit-il faire le voyage d'une seule traite ou se ménage-t-il des pauses entre des étapes de différentes longueurs, pour faire le plein et reprendre des forces (vacances et loisirs) ? De la même manière qu'en voyage il nous faut prévoir de l'argent pour les postes à péage des autoroutes ou des ponts, il pourra s'avérer utile de vérifier quels sont les coûts impliqués par le trajet qu'il projette de suivre.

Si le jeune n'est pas en mesure d'établir lui-même les différentes étapes de son itinéraire, recommandez-lui de demander des indications à des gens qui possèdent la carte routière correspondant au voyage qu'il désire faire, soit parce qu'ils ont déjà effectué le trajet, soit parce qu'ils sont formés pour orienter ceux qui cherchent leur voie.

Vous serez sans doute étonné du soulagement que vous apporterez au jeune adolescent prépubère ou tout juste pubère en lui décrivant l'itinéraire de l'adolescence, de son point de départ qu'est l'attachement — voire sa dépendance — à ses parents jusqu'au point d'arrivée, l'individuation, soit le fait de conquérir et d'affirmer sa propre identité. En début de parcours, le jeune adopte généralement les valeurs parentales ou familiales qui lui ont été inculquées, puisqu'en attendant qu'il ait la maturité de le faire par lui-même, on lui a appris *quoi* penser et non *comment* penser. Le but du parcours est justement d'identifier ses propres valeurs, de reconnaître ce qu'il ressent, ce qu'il souhaite, ce qu'il aime ou n'aime pas afin de vivre sa vie et d'apprendre à réfléchir par lui-même selon les principes auxquels il adhère volontairement. Évidemment, le processus provoque un lot d'incertitudes, tant chez l'adolescent que chez ses parents, mais celles-ci sont indispensables à la maturité et à la pleine autonomie du jeune adulte qu'il deviendra.

À cette période de sa vie, plusieurs routes s'ouvrent devant l'adolescent et il lui revient de choisir celle qu'il empruntera, parfois à l'encontre des limites que lui auront fixées ses parents. Il est important que ceux-ci comprennent d'ailleurs que ce n'est pas tant le but à atteindre qui importe pour le moment, que la façon dont le jeune aura appris à discerner le bien du mal, à exercer son jugement et son autonomie, y compris en apprenant de ses erreurs ; au terme du voyage, il aura probablement retiré autant d'enseignements de ces courbes que des lignes droites du chemin…

L'adolescent doit impérativement savoir que la route ne sera pas facile, qu'il lui faudra surmonter des obstacles et déployer beaucoup d'efforts et d'énergie, de persévérance et de ténacité pour y parvenir. Ces obstacles peuvent être constitués par la chaîne de montagnes qui le sépare de l'âge adulte. Il y a le mont de l'autorité qui l'empêche actuellement de prendre le contrôle de sa vie et qu'il doit prendre le temps de gravir pour accéder à la maturité qui lui permettra de bien se gouverner lui-même. Il doit franchir aussi le mont des transformations physiques, qui lui semble si long à escalader, et dont il ne triomphera que lorsqu'il aura terminé de devenir celui dont il ignore encore les traits : à quoi est-ce que je vais finalement ressembler ? Est-ce que je vais aimer ce que je vais devenir ? Est-ce que mes seins vont encore pousser ? Mes organes génitaux seront-ils trop petits ? Est-ce que j'ai enfin fini de grandir ? Parmi les obstacles, des virages raides peuvent au contraire le faire déraper à toute vitesse : les changements hormonaux affectant son humeur, il est possible qu'il soit ponctuellement très maladroit dans ses relations avec les autres ; son incertitude envers ses propres croyances aura pour effet qu'il lui arrivera de ne pas vouloir accepter leurs opinions, leurs valeurs, au point parfois d'être agressif. Lorsque vous sentirez que le jeune traverse une période d'hypersensibilité de ce type, vous pourrez utiliser la métaphore pour lui signifier que vous comprenez son état d'esprit, sans ajouter à son trouble ni alimenter son comportement négatif. Ainsi, plutôt que de lui dire : « que tu es agressif aujourd'hui !! », vous pouvez lui indiquer : « j'ai l'impression que tu es dans un virage raide aujourd'hui… ». Le fait d'utiliser des expressions codées comme celle-ci a pour effet d'activer en outre une complicité rassurante et sécurisante pour le jeune : même si les résultats ne vous semblent pas immédiats, il n'en demeure pas moins qu'en installant ce type de relation qui respecte les états d'être de l'adolescent, vous favorisez un meilleur contexte de discussion et de gestion des difficultés.

En prenant le temps de discuter du parcours de l'adolescence avec le jeune, vous le rassurerez, le préparerez aux défis qui l'attendent et vous vous préparez également à le voir grandir, vous qui, en tant que parent, accompagnerez votre enfant sur les routes de sa maturation. En acceptant l'idée de ne pas le suivre à la trace pour vérifier la validité de ses choix et en vous refusant à comparer ses courbes à celles que vous avez connues (vous risquez alors de vous projeter directement sur son expérience et votre anxiété ne saura que lui nuire), vous pourrez plus facilement développer une vue d'ensemble de son itinéraire, l'assister avec plus d'objectivité lorsque viendra le moment de rectifier sa route pour revenir sur une meilleure voie ou de lui offrir un reflet compréhensif des zones de turbulence qu'il traverse. De cette position d'observateur attentif qui n'intervient qu'en cas de nécessité absolue, vous pourrez ainsi lui apporter un support plus que précieux en lui transmettant la confiance que vous avez en lui comme en ses ressources : « le virage est presque terminé, tu t'en sors très bien, et tu verras, ensuite, il y a une route droite qui sera plus facile à suivre ».

La présence des Grands-Frères auprès des fils de familles monoparentales[1]

Le processus de séparation-individuation entre les enfants et leurs mères est facilité par la présence des pères et le divorce des parents vient donc compliquer l'évolution de ce processus. Une étude menée par des chercheurs du Département de psychologie de l'Université de Montréal a voulu évaluer comment les figures du père-substitut peuvent aider les adolescents masculins de familles monoparentales à opérer la séparation-individuation. Vingt-neuf adolescents en relation avec des Grands-Frères ont été comparés aux adolescents de deux groupes-contrôle, issus de familles monoparentales sans Grand-Frères et de familles intactes. Les résultats de l'étude ont fait ressortir que les adolescents accompagnés de Grands-Frères étaient moins affectés par le rejet parental que les adolescents des deux groupes-contrôle. Ils semblaient également avoir développé une image d'eux-mêmes plus saine que celle des adolescents de familles monoparentales sans Grand-Frères, mais manifestaient plus d'anxiété lorsqu'ils entraient en relation avec les professeurs masculins que les adolescents issus de familles intactes.

[1] S. Saintonge, P.A. Achille et L. Lachance, « The Influence of Big Brothers on the Separation-Individuation of Adolescents from Single-Parent Families », *Adolescence,* 33, 130, été 1998, p. 343-353.

6. Danger

Pour aider l'adolescent à tenir compte des messages intérieurs ou extérieurs qui l'incitent à une plus grande vigilance.

1. Demander à l'adolescent de décrire l'illustration à sa façon.

2. Mettre en évidence la métaphore à exploiter.

> ▶ Ce type de signalisation indique habituellement l'imminence d'un danger sur la route (effondrement de la chaussée, construction, accident) : les automobilistes doivent alors ralentir et faire preuve d'une plus grande prudence. Vous pouvez discuter avec le jeune des risques associés au non-respect de ce panneau indicateur.

3. Relier la métaphore à un problème auquel est confronté l'adolescent.

De la même manière que ce panneau signale le danger sur la route, certains comportements ou pensées agissent également comme des indicateurs intérieurs qui nous avertissent d'un risque de dérapage ou d'accident. L'adolescent a-t-il déjà éprouvé par exemple une attitude extrêmement négative, été obnubilé par des pensées obsédantes et détériorantes (idées suicidaires, homicidaires, envie de fuir et de tout laisser tomber) ou a-t-il été cloué au lit par une fatigue excessive qui l'a empêché d'accomplir ce qu'il effectue aisément en temps normal ? Ce sont là des indicateurs d'un réel danger qui risque d'attaquer son équilibre psychologique et sa capacité à faire face aux événements de sa vie : ils ont une valeur de signal et devraient être interprétés comme une incitation à ralentir. Selon les cas, ce ralentissement pourra se traduire par une importante récupération de sommeil (en se couchant plus tôt), car il est indéniable qu'un esprit fatigué réagit intempestivement et interprète souvent les événements de façon négative ; par un relâchement de son implication dans des activités parascolaires ou de son investissement auprès d'un ami qui exige beaucoup de son énergie ; par une consultation auprès d'une personne-ressource dans le cas où sa condition familiale est difficile au point qu'elle le perturbe (problèmes financiers, instabilité psychologique d'un parent, violence familiale, etc.). Au cours de votre discussion, faites voir à l'adolescent que son corps comme son esprit lui lancent, au cours des périodes difficiles, des signaux indicateurs de danger qui ont pour fonction de le préserver en l'incitant à modifier son attitude ou à rectifier la situation afin de lui permettre de retrouver son énergie, son enthousiasme et son bien-être. N'hésitez pas à lui suggérer, au cours de votre recherche conjointe de solutions et stratégies de ralentissement, de recourir à des services d'intervention professionnelle, de faire certaines lectures ou de fréquenter un groupe de support, car l'urgence de la situation et l'imminence du danger commande une réaction adéquate rapide : donnez le plus promptement possible au jeune les moyens d'agir sur sa vie et d'en reprendre le contrôle.

Dans nos rapports interpersonnels, le corps et l'esprit manifestent également des indications de danger : demandez par exemple au jeune s'il a déjà ressenti, en présence d'une personne, un malaise, une gêne subite, un dilemme intérieur qui l'envahissait sans qu'il puisse trop savoir pourquoi. Ce type de signaux d'inconfort intervient généralement lorsque l'on se sent déchiré entre deux émotions contradictoires, comme par exemple dans les cas d'abus sexuel commis par une personne significative en qui le jeune avait confiance : l'importance de cette personne et la crainte qu'elle ne mette fin à la relation s'il ne consent pas aux rapports sexuels incitent le plus souvent l'adolescent à se prêter à des ébats qui ne lui inspirent pourtant que du malaise, du dégoût, voire une vive répulsion. Sans interroger directement le jeune sur ce sujet afin de ne pas le brusquer, décrivez l'importance de ce type de signal d'alarme qui a pour but de le protéger en lui indiquant de ne pas s'aventurer dans ce genre de relation et de se retirer volontairement, quitte à perdre ce qui a présentement beaucoup de valeur pour lui : l'affection d'une personne qui ne lui veut pas vraiment de bien, mais exploite plutôt ses sentiments. A-t-il déjà perçu de pareils signaux internes ? S'est-il tout de même aventuré sur la route ? S'est-il produit un accident ? Si oui, se situe-t-il toujours dans la zone de danger ou est-il maintenant rescapé de ce passage périlleux ? Vous pourrez ainsi explorer sur un plan métaphorique ce qui semble tracasser l'adolescent, sans l'obliger à confesser ce qu'il ne veut pas avouer : rappelez-vous qu'un jeune pourra mettre fin à la relation d'aide plutôt que de livrer son secret s'il n'est pas prêt à le faire.

La zone dangereuse peut par ailleurs représenter une expérience sexuelle non protégée qui tourmente l'adolescent qui craint d'avoir été contaminé par une MTS sans néanmoins trouver le courage d'aller consulter le médecin. Le jeune peut devenir complètement obsédé par cette idée tout en étant prisonnier de la honte et de la gêne ou de la peur de savoir (et d'obtenir confirmation de sa contamination). Si vous soupçonnez un tel malaise chez le jeune auprès duquel vous intervenez, demandez-lui s'il a déjà traversé une zone de danger : aurait-il besoin maintenant de savoir où s'orienter pour respecter la consigne d'une plus grande vigilance ? Indiquez-lui que vous possédez de l'information sur le sujet ou que vous connaissez les ressources qui pourraient désormais lui venir en aide : de la même façon que les panneaux de signalisation « Danger » sont parfois accompagnés d'indications de « Détour », il lui faut peut-être emprunter une nouvelle route pour obtenir l'information, le support ou le soutien dont il aurait besoin.

L'attitude des mères adolescentes et ses effets sur le QI et sur le comportement de leurs enfants[1]

Une étude menée à l'École de médecine du Colorado a voulu observer les effets de la stabilité et du changement comportemental des mères adolescentes sur leurs enfants, de la petite enfance à l'âge scolaire. L'enquête avait pour objectif d'examiner la relation entre certaines caractéristiques maternelles et le développement du comportement cognitif et social de l'enfant.

43 mères adolescentes (de 16,3 ans d'âge moyen) ont été évaluées sur les plans de leurs compétences cognitives et de leurs attitudes dans l'éducation de leurs enfants, à l'époque où ceux-ci étaient en bas âge (Temps 1) puis, une seconde fois, lorsqu'ils parvenaient à l'âge scolaire (Temps 2). Lors de cette deuxième étape, l'enquête considérait non seulement le comportement des mères, mais soumettait également les enfants à des tests d'intelligence et de classement à la réussite.

Les enfants visés par l'enquête faisaient preuve d'une intelligence moyenne, mais leur taux général de réussite se situait sous la moyenne. Il est apparu très nettement qu'un nombre plus élevé d'enfants, par rapport à la courbe normale, ont présenté des résultats plus élevés que prévu sur les plans de l'hyperactivité et des handicaps scolaires (32,5 % par rapport à 16 %).

À l'exception du vocabulaire maternel, les mesures des compétences cognitives des mères obtenues au Temps 1 n'étaient pas directement reliées au QI des enfants ou à leurs problèmes de comportement. Ce sont plutôt les attitudes des mères dans l'éducation de leurs enfants dès la petite enfance qui peuvent faire la différence sur les comportements et les résultats scolaires ultérieurs.

En général, sans considérer leur statut socioéconomique ou leur origine ethnique, les adolescentes font habituellement preuve d'attitudes hautement autoritaires (cette tendance tend à décroître lorsqu'elles atteignent leur 21e année). Des études ont fait ressortir que ce type de comportement chez les parents entre en corrélation avec les piètres performances chez les enfants d'âge scolaire, indépendamment de leur statut socioéconomique, et constituerait en outre, selon Emmerich, l'indice d'une dysfonction parentale.

Ainsi, le vocabulaire maternel, l'autorité contrôlante ainsi que l'hostilité des mères dans leurs relations avec leurs enfants, observés au Temps 1 de l'enquête, ont contribué de façon indéniable aux résultats des tests de réussite des enfants, et cela, indépendamment de la prédiction qui pouvait être dégagée à partir du potentiel des enfants. Au Temps 2, le vocabulaire des mères ainsi qu'un degré élevé ou un accroissement d'hostilité ont contribué de façon certaine à la prédiction du QI des enfants. Ceux dont le QI s'est révélé le plus faible avaient pour mères des adolescentes aux attitudes autoritaires, contrôlantes et hostiles ou, encore, des mères dont l'autorité abusive avait augmenté entre le Temps 1 et le Temps 2.

---

[1] Bonnie W. Camp, « Adolescent Mothers and their Children: Changes in Maternal Characteristics and Child Developmental and Behavioral Outcome at School Age », *Journal of Developmental & Behavioral Pediatrics*, 17, 3, juin 1996, p. 162-169.

7. Verres

1. Demander à l'adolescent de décrire l'illustration à sa façon.

Pour aider l'adolescent à devenir responsable de ses comportements et de sa façon de communiquer avec les autres afin d'être mieux compris et respecté.

2. Mettre en évidence la métaphore à exploiter.

▸ Amenez l'adolescent à remarquer que, parmi les quatre verres illustrés, le premier est tout à fait transparent tandis que les autres sont partiellement ou totalement opaques et qu'il est donc de plus en plus difficile de voir ce qu'ils contiennent. Demandez-lui s'il a parfois l'impression que les personnes peuvent également être comme ces verres, plus ou moins transparentes ou opaques, s'exprimant précisément et en détail ou ne parlant jamais d'eux-mêmes et ne faisant jamais allusion à ce qu'ils ressentent.

3. Relier la métaphore à un problème auquel est confronté l'adolescent.

À quel verre ressembles-tu quand tu es avec un(e) ami(e) ? Explorez avec l'adolescent les différentes attitudes représentées en décrivant comment elles peuvent être adéquates dans certaines situations. Ainsi, il est parfois approprié d'avoir une attitude n° 2 et même 3, lorsqu'on est très en colère ou fatigué et qu'il vaut mieux éviter de laisser s'écouler toute sa frustration sur l'autre. C'est en effet le moment de s'arrêter et de tenter d'y voir plus clair, en gardant pour soi des paroles qui pourraient être blessantes (et difficiles à récupérer par la suite). Toutefois, en général, l'attitude n° 1 doit être privilégiée, pour assurer la richesse de la relation et lui donner toute sa profondeur : la transparence et la sincérité demeurent les meilleurs fondements d'une relation nourrissante (en s'assurant au préalable que l'autre est réceptif à ce qu'on veut lui dire et que les conditions extérieures comme le moment, le lieu ou l'heure, sont favorables à un échange réussi).

L'adolescence s'avère, le plus souvent, l'âge du n° 4 : bien des parents déplorent ne plus savoir ce que vivent leurs enfants qui, de limpides qu'ils étaient, deviennent pratiquement ou totalement illisibles. Cette situation crée souvent beaucoup d'anxiété et d'interrogations chez les parents et suscite une attitude inquisitrice, alors que le parent ne peut s'empêcher de jouer la mouche du coche en piquant constamment le jeune de ses questions, ce qui a évidemment pour effet de le rendre encore plus opaque. Il est préférable de procéder par suggestions, en exprimant vos hypothèses ou vos soupçons : « Serait-il possible qu'il se soit passé quelque chose avec ton copain ? Tu me sembles vraiment en colère et je sens qu'il y a quelque chose qui te dérange beaucoup ces jours-ci… »

À l'adolescence, il est fréquent que le jeune se sente totalement incompris : certains choisissent alors de se réfugier dans le silence, dans la solitude, dans la fuite (alcool, drogue, sexe ou autre), tout en déplorant le fait que les autres ne le comprennent pas. Si c'est le cas de l'adolescent auprès duquel vous intervenez, abordez le problème sous forme de questions : dans tes relations avec tes parents, lorsque vient le moment de parler de ce que tu vis, as-tu l'impression d'être comme le n° 1, 2, 3 ou 4 ? Si tu te sens comme les 3e et 4e verres, comprends-tu à quel point il est difficile pour l'autre de saisir ce que tu vis ? Amenez-le à prendre conscience que la frustration qui résulte de cette incompréhension ne disparaîtra pas d'elle-même : il doit prendre l'habitude de formuler encore plus clairement et respectueusement ses demandes s'il veut être entendu et compris. De bonnes relations avec les adultes exigent qu'il détaille lui-même le contenu de son verre puisqu'ils ne peuvent saisir ce qu'il vit et désire aussi spontanément que ses pairs qui ont plus d'affinités avec lui.

8. Top secret

1. Demander à l'adolescent de décrire l'illustration à sa façon.

2. Mettre en évidence la métaphore à exploiter.

> ▶ Demandez à l'adolescent s'il sait ce que contient le coffret. Il répondra vraisemblablement qu'il lui est impossible de le savoir puisque la boîte est cadenassée, mais reconnaîtra que l'indication « TOP SECRET » signale toutefois la nature de ce qu'elle contient : quelque chose qui ne doit pas être révélé à tous.

Pour aider l'adolescent à reconnaître que le fait de conserver un problème ou un grave secret en soi, même si cela peut sembler nécessaire et lui paraître la meilleure solution, ne lui procurera que des ennuis et des désavantages à long terme et finira par peser de plus en plus lourd sur sa vie.

3. Relier la métaphore à un problème auquel est confronté l'adolescent.

Demandez à l'adolescent s'il possède ce type de boîte à l'intérieur de lui. Y a-t-il un cadenas qui la verrouille ? Qui a posé ce cadenas ? Lui-même ou quelqu'un d'autre ? Depuis combien de temps la boîte est-elle cadenassée ? Sait-il où se trouve la clé qui peut l'ouvrir ? Avec le temps, le fait de conserver ce secret sous clé améliore-t-il ou détériore-t-il la situation ? A-t-il déjà envisagé l'idée d'ouvrir la boîte ? Est-ce que le fait de l'ouvrir et d'en vider le contenu pourrait lui apporter un certain soulagement ? Vous devrez sans doute prendre le temps d'amener l'adolescent à reconnaître qu'un secret détient par nature une grande importance et qu'il ne doit être partagé qu'avec des gens qui ont la capacité de comprendre ce qu'il représente et de le préserver à leur tour des oreilles indiscrètes. Ce peut être un parent, un professeur, une personne ressource de son environnement scolaire ou parascolaire, toute personne en qui il a confiance, mais idéalement un adulte, car les adultes voient souvent les choses selon une autre perspective, peuvent proposer d'autres solutions, apporter un meilleur soutien et suggérer des outils plus efficaces que ne sauraient le faire les amis de son âge.

Certains secrets sont en outre trop lourds à porter pour les amis qui s'avèrent tout aussi dépourvus que l'adolescent devant le « secret » qu'il partage : une grossesse accidentelle, un développement déficient des parties génitales, par exemple, sont des problèmes qu'un ami ne peut aider à résoudre. Dans ces circonstances, non seulement l'adolescent n'obtient pas de support ni de soutien réel de la part de la personne à qui il se confie, mais encore la rend-il captive de son secret : dans le meilleur des cas, il ne fait que communiquer son désarroi et celui qui le reçoit ne sait qu'en faire… C'est particulièrement vrai lorsqu'un adolescent qui confie à un ami son intention de se suicider accompagne le secret d'une interdiction de le divulguer : l'ami est alors déchiré entre son sentiment de loyauté (garder le secret) et sa volonté d'aider (en allant chercher du support auprès d'une personne ressource). Dans votre discussion avec le jeune, amenez-le ainsi à comprendre que, si son secret est trop lourd pour lui, il le sera également pour son ami ; il sera plus profitable d'aller chercher de l'aide auprès de quelqu'un qui a les moyens de le secourir.

Le fait d'aborder cette métaphore avec l'adolescent n'aura pas nécessairement pour résultat immédiat d'ouvrir la boîte du secret ; en l'amenant à concéder qu'il vit effectivement avec « ça » à l'intérieur de lui, vous lui permettrez néanmoins de connaître les premiers effets libérateurs de l'aveu, non pas en confiant l'événement dont il n'est pas prêt à parler, mais en admettant la présence d'un secret et en le décrivant de façon indirecte (depuis combien de temps est-il caché ? combien y en a-t-il à l'intérieur ? quelle taille ont-ils ? quel poids ? sont-ils noirs ou blancs ? vieux ou jeunes ? etc.). Il vous est ainsi possible de commencer à travailler sur le problème en explorant le plan métaphorique tout en installant une relation de confiance avec le jeune.

9. Le Total

1 + 3 + 5 + 9 - 4 - 5 + 6 + 8 - 3 + 5 - 7 + 9 + 8 + 1 + 2 - 3 - 2 - 6 + 7 + 5 + 7 + 3 - 4 -
1 + 7 + 7 - 6 - 8 + 4 + 3 + 1 + 1 - 2 + 6 + 4 + 9 - 8 - 5 + 5 + 4 + 8 - 7 - 3 - 6 + 7 + 2 +
1 - 2 + 4 - 5 - 1 + 3 + 5 + 9 - 4 - 5 + 6 + 8 - 3 + 5 - 7 + 9 + 8 + 1 + 2 - 3 - 2 - 6 + 7 +
5 + 7 + 3 - 4 - 1 + 7 + 7 - 6 - 8 + 4 + 3 + 1 + 1 - 2 + 6 + 4 + 9 - 8 - 5 + 5 + 4 + 8 - 7 -
3 - 6 + 7 + 2 + 1 - 2 + 4 - 5 + 1 + 3 + 5 + 9 - 4 - 5 + 6 + 8 - 3 + 5 - 7 + 9 + 8 + 1 + 2 -
3 - 2 - 6 + 7 + 5 + 7 + 3 - 4 - 1 + 7 + 7 - 6 - 8 + 4 + 3 + 1 + 1 - 2 + 6 + 4 + 9 - 8 - 5 +
5 + 4 + 8 - 7 - 3 - 6 + 7 + 2 + 1 - 2 + 4 - 5 - 1 + 3 + 5 + 9 - 4 - 5 + 6 + 8 - 3 + 5 - 7 +
9 + 8 + 1 + 2 - 3 - 2 - 6 + 7 + 5 + 7 + 3 - 4 - 1 + 7 + 7 - 6 - 8 + 4 + 3 + 1 + 1 - 2 + 6 +
4 + 9 - 8 - 5 + 5 + 4 + 8 - 7 - 3 - 6 + 7 + 2 + 1 - 2 + 4 - 5 - 1 + 3 + 5 + 9 - 4 - 5 + 6 +
8 - 3 + 5 - 7 + 9 + 8 + 1 + 2 - 3 - 2 - 6 + 7 + 5 + 7 + 3 - 4 - 1 + 7 + 7 - 6 - 8 + 4 + 3 +
1 + 1 - 2 + 6 + 4 + 9 - 8 - 5 + 5 + 4 + 8 - 7 - 3 - 6 + 7 + 2 + 1 - 2 + 4 - 5 + 1 + 3 + 5 +
9 - 4 - 5 + 6 + 8 - 3 + 5 - 7 + 9 + 8 + 1 + 2 - 3 - 2 - 6 + 7 + 5 + 7 + 3 - 4 - 1 + 7 + 7 -
6 - 8 + 4 + 3 + 1 + 1 - 2 + 6 + 4 + 9 - 8 - 5 + 5 + 4 + 8 - 7 - 3 - 6 + 7 + 2 + 1 - 2 + 4 -
5 - 1 + 3 + 5 + 9 - 4 - 5 + 6 + 8 - 3 + 5 - 7 + 9 + 8 + 1 + 2 - 3 - 2 - 6 + 7 + 5 + 7 + 3 -
4 - 1 + 7 + 7 - 6 - 8 + 4 + 3 + 1 + 1 - 2 + 6 + 4 + 9 - 8 - 5 + 5 + 4 + 8 - 7 - 3 - 6 + 7 +
2 + 1 - 2 + 4 - 5 - 1 + 3 + 5 + 9 - 4 - 5 + 6 + 8 - 3 + 5 - 7 + 9 + 8 + 1 + 2 - 3 - 2 - 6 +
7 + 5 + 7 + 3 - 4 - 1 + 7 + 7 - 6 - 8 + 4 + 3 + 1 + 1 - 2 + 6 + 4 + 9 - 8 - 5 + 5 + 4 + 8 -
7 - 3 - 6 + 7 + 2 + 1 - 2 + 4 - 5 - 1 + 3 + 5 + 9 - 4 - 5 + 6 + 8 - 3 + 5 - 7 + 9 + 8 + 1 +
2 - 3 - 2 - 6 + 7 + 5 + 7 + 3 - 4 - 1 + 7 + 7 - 6 - 8 + 4 + 3 + 1 + 1 - 2 + 6 + 4 + 9 - 8 -
5 + 5 + 4 + 8 - 7 - 3 - 6 + 7 + 2 + 1 - 2 + 4 - 5 + 1 + 3 + 5 + 9 - 4 - 5 + 6 + 8 - 3 + 5 -
7 + 9 + 8 + 1 + 2 - 3 - 2 - 6 + 7 + 5 + 7 + 3 - 4 - 1 + 7 + 7 - 6 - 8 + 4 + 3 + 1 + 1 - 2 +
6 + 4 + 9 - 8 - 5 + 5 + 4 + 8 - 7 - 3 - 6 + 7 + 2 + 1 - 2 + 4 - 5 - 1 + 3 + 5 + 9 - 4 - 5 +
6 + 8 - 3 + 5 - 7 + 9 + 8 + 1 + 2 - 3 - 2 - 6 + 7 + 5 + 7 + 3 - 4 - 1 + 7 + 7 - 6 - 8 + 4 +
3 + 1 + 1 - 2 + 6 + 4 + 9 - 8 - 5 + 5 + 4 + 8 - 7 - 3 - 6 + 7 + 2 + 1 - 2 + 4 - 5 - 1 + 3 +
5 + 9 - 4 - 5 + 6 + 8 - 3 + 5 - 7 + 9 + 8 + 1 + 2 - 3 - 2 - 6 + 7 + 5 + 7 + 3 - 4 - 1 + 7 +
7 - 6 - 8 + 4 + 3 + 1 + 1 - 2 + 6 + 4 + 9 - 8 - 5 + 5 + 4 + 8 - 7 - 3 - 6 + 7 + 2 + 1 - 2 +
4 - 5 + 1 + 3 + 5 + 9 - 4 - 5 + 6 + 8 - 3 + 5 - 7 + 9 + 8 + 1 + 2 - 3 - 2 - 6 + 7 + 5 + 7 +
3 - 4 - 1 + 7 + 7 - 6 - 8 + 4 + 3 + 1 + 1 - 2 + 6 + 4 + 9 - 8 - 5 + 5 + 4 + 8 - 7 - 3 - 6 +
7 + 2 + 1 - 2 + 4 - 5 - 1 + 3 + 5 + 9 - 4 - 5 + 6 + 8 - 3 + 5 - 7 + 9 + 8 + 1 + 2 - 3 - 2 -
6 + 7 + 5 + 7 + 3 - 4 - 1 + 7 + 7 - 6 - 8 + 4 + 3 + 1 + 1 - 2 + 6 + 4 + 9 - 8 - 5 + 5 + 4 +
8 - 7 - 3 - 6 + 7 + 2 + 1 - 2 + 4 - 5 - 1 + 3 + 5 + 9 - 4 - 5 + 6 + 8 - 3 + 5 - 7 + 9 + 8 +
1 + 2 - 3 - 2 - 6 + 7 + 5 + 7 + 3 - 4 - 1 + 7 + 7 - 6 - 8 + 4 + 3 + 1 + 1 - 2 + 6 + 4 + 9 -
8 - 5 + 5 + 4 + 8 - 7 - 3 - 6 + 7 + 2 + 1 - 2 + 4 - 5 - 1 + 3 + 5 + 9 - 4 - 5 + 6 + 8 - 3 +
5 - 7 + 9 + 8 + 1 + 2 - 3 - 2 - 6 + 7 + 5 + 7 + 3 - 4 - 1 + 7 + 7 - 6 - 8 + 4 + 3 + 1 + 1 -
2 + 6 + 4 + 9 - 8 - 5 + 5 + 4 + 8 - 7 - 3 - 6 + 7 + 2 + 1 - 2 + 4 - 5 + 1 + 3 + 5 + 9 - 4 -
5 + 6 + 8 - 3 + 5 - 7 + 9 + 8 + 1 + 2 - 3 - 2 - 6 + 7 + 5 + 7 + 3 - 4 - 1 + 7 + 7 - 6 - 8 +
4 + 3 + 1 + 1 - 2 + 6 + 4 + 9 - 8 - 5 + 5 + 4 + 8 - 7 - 3 - 6 + 7 + 2 + 1 - 2 + 4 - 5 - 1 +
3 + 5 + 9 - 4 - 5 + 6 + 8 - 3 + 5 - 7 + 9 + 8 + 1 + 2 - 3 - 2 - 6 + 7 + 5 + 7 + 3 - 4 - 1 +
7 + 7 - 6 - 8 + 4 + 3 + 1 + 1 - 2 + 6 + 4 + 9 - 8 - 5 + 5 + 4 + 8 - 7 - 3 - 6 + 7 + 2 + 1 -
2 + 4 - 5 - 1 + 3 + 5 + 9 - 4 - 5 + 6 + 8 - 3 + 5 - 7 + 9 + 8 + 1 + 2 - 3 - 2 - 6 + 7 + 5 +
7 + 3 - 4 - 1 + 7 + 7 - 6 - 8 + 4 + 3 + 1 + 1 - 2 + 6 + 4 + 9 - 8 - 5 + 5 + 4 + 8 - 7 - 3 =

9. Le Total

1. Demander à l'adolescent de décrire l'illustration à sa façon.

2. Mettre en évidence la métaphore à exploiter.

Pour aider l'adolescent à prendre conscience que la somme de plusieurs petites réflexions et actions sont responsables de son sentiment général à l'égard de l'école ou de son appréciation de lui-même. L'exercice peut également être généralisé à ses relations avec les autres ou à toute autre situation qui s'inscrit dans la durée.

▸ Demander au jeune s'il croit que le total de la page de gauche sera positif ou négatif. En observant qu'il y a plus d'additions que de soustractions et que ces dernières sont moins importantes que les premières, il en concluera que la solution donnera vraisemblablement un total positif.

3. Relier la métaphore à un problème auquel est confronté l'adolescent.

Amenez le jeune à réaliser que ses comportements et ses attitudes mentales à l'égard de l'école sont un peu comme des soustractions ou des additions qu'il fait dans son compte « d'intérêt en rapport avec l'école ». Demandez-lui par exemple : « Dans ton attitude générale envers l'école, as-tu l'impression que tu additionnes ou que tu soustrais plus souvent ? Quelles sont les pensées qui te viennent le plus spontanément à l'esprit quand tu penses à l'école ? Sont-elles habituellement favorables ou défavorables ? » Si l'adolescent déteste fréquenter l'école, faites-le réfléchir au fait que son habitude d'entretenir des pensées du genre « je n'aime pas ça », « je n'apprends rien d'intéressant », « c'est stupide », a pour effet direct de créer des soustractions dans son compte de patience et de persévérance lorsqu'il se trouve en situation d'apprentissage. Au contraire, lorsqu'il tente d'additionner des points en trouvant des aspects positifs (« même s'il y a des matières que je n'aime pas, il y en a d'autres dans lesquelles j'aime apprendre de nouvelles choses », « les maths, ça m'intéresse, et le prof est correct »), il ajoute de l'intérêt et de l'enthousiasme dans son compte scolaire. Faites-lui observer que la fréquence de ses petites soustractions mentales est telle qu'il se conditionne lui-même à ne pas aimer l'école. Le jeune devrait pouvoir comprendre qu'au-delà des lieux physiques (le bâtiment scolaire, qu'il peut ou non trouver agréable à fréquenter) et du tempérament de ses professeurs (qui, selon lui, savent bien ou ignorent comment rendre leur matière intéressante), c'est sa propre faculté à soustraire ou additionner qui est responsable de sa motivation à apprendre et à approfondir ses connaissances.

Le regard que l'on pose sur soi-même constitue sans nul doute l'un des domaines où l'esprit calcule le plus, comparant et évaluant qualités et défauts, additionnant les avantages et soustrayant impitoyablement les faiblesses. Au cours de l'adolescence, période où les changements sont nombreux et où l'appartenance au groupe importe particulièrement, ce réflexe d'évaluation devient omniprésent. Explorez avec l'adolescent les formules de dépôt et de retrait qu'il utilise le plus fréquemment : emploie-t-il des soliloques négatifs (« je ne comprends jamais rien », « je n'y arriverai jamais », « j'ai l'air ridicule ») ? Sait-il reconnaître et appuyer ses forces (« ah ! je l'ai eu, je savais que j'y arriverais », « ouais, je suis fier de moi ») ? Réalise-t-il des actions qui ont pour effet d'augmenter sa confiance en lui (oser tenter quelque chose de nouveau, dépasser ses limites dans un domaine particulier, saluer et sourire le premier lorsqu'il rencontre quelqu'un, être capable de refuser de faire quelque chose qu'il ne veut pas faire, même si ses amis exercent de la pression sur lui) ? Après avoir fait le tour de ses façons habituelles d'additionner et de soustraire des points d'estime de lui-même, demandez-lui d'évaluer si les résultats d'ensemble sont plutôt positifs ou négatifs. S'ils sont négatifs, que pourrait-il faire pour modifier son bilan et adopter une attitude plus facilement « additionnante » ? Faites-lui remarquer qu'il en va de sa confiance en lui-même.

10. Île

1. Demander à l'adolescent de décrire l'illustration à sa façon.

2. Mettre en évidence la métaphore à exploiter.

Pour aider l'adolescent à identifier les sentiments qui le déroutent et lui faire réaliser que sa solitude n'est peut-être pas aussi totale et entière qu'il peut y paraître.

▶ Faites remarquer à l'adolescent que l'île étant coupée du continent, il faut nécessairement qu'une voie de communication soit établie, soit par la mer (en bateau l'été, par un pont de glace l'hiver), soit par les airs (en avion ou en hélicoptère), ou du moins par une ligne téléphonique sous-marine ou cellulaire.

3. Relier la métaphore à un problème auquel est confronté l'adolescent.

T'arrive-t-il parfois de te sentir comme une île coupée des terres, différent des autres et solitaire ? Vous devrez expliquer à l'adolescent que ce sentiment d'être incompris de tous, y compris de lui-même, est tout à fait normal et qu'il résulte des nombreuses transformations qui caractérisent cette époque de sa vie. Les métamorphoses de son corps et de sa personnalité sont à ce point importantes qu'il peut avoir le sentiment de ne plus se reconnaître, de ne pas savoir qui il deviendra, constatant seulement qu'il est à la fois lui-même et un étranger dont il ne connaît pas encore les réactions. En conséquence, il recherche à l'extérieur de lui-même une réponse à ce flottement de sa personnalité, un avis qui lui affirmerait : « Tu es tel genre de personne, tu as telles qualités, tu possèdes telle ou telle force ». Toutefois, puisqu'il n'est pas encore devenu celui qui est en train de s'affirmer en lui, nul ne peut avancer avec certitude une définition adéquate ; même ses caractéristiques fondamentales peuvent être momentanément cachées sous la houle du changement.

Le fait de pouvoir exprimer son sentiment de solitude, de sentir que vous identifiez en lui cette similitude avec l'île esseulée, permettra ensuite à l'adolescent de remarquer qu'entre l'île et les terres dont elle est coupée, il y a plusieurs points communs : les arbres, les rochers, les plages, la géographie de l'un et l'autre territoire. Plus encore, faites-lui observer qu'il y a, sous les eaux, un banc de sable qui relie l'île à la terre. À marée haute, on ne soupçonne pas sa présence : les eaux tumultueuses sont ainsi comparables aux turbulences hormonales dont il subit les remous actuellement et qui lui donnent le sentiment d'être complètement coupé des terres. Mais à marée basse, lorsqu'il se sent plus en contrôle de lui-même, il peut alors accéder plus facilement aux autres et inversement. En reconnaissant son état de solitude présente, vous créez déjà un pont vers lui et pourrez lui suggérer des moyens de communication pour sortir de l'île : il lui est possible d'emprunter un bateau pour se rendre sur la rive de son choix, en exprimant ce qu'il ressent et en confiant ses inquiétudes à un parent, une tante ou un oncle auprès de qui il se sent mieux accueilli, un intervenant de son milieu scolaire ou encore un ami qui habite une autre île, semblable à la sienne, plus près de lui que le rivage du continent.

Demandez à l'adolescent de décrire l'île : y a-t-il des plantes, des fruits, ou des idées qui poussent sur cette île ? Est-ce que ce qui y pousse lui semble bénéfique ? Le point de vue est-il agréable ou quelconque ? Des bateaux s'en approchent-ils ? Les laisse-t-il accoster ? L'accès est-il invitant ? Cette conversation sur l'île pourra l'amener à trouver des solutions et à dédramatiser son état plus facilement que si vous ne faisiez que discuter de son sentiment de solitude sans vous appuyer sur la métaphore.

Demeurez attentif au fait que l'analogie de l'île peut soulever un tout autre contenu chez le jeune : s'il a eu un comportement ou fait une action dont il n'est pas très fier (avoir volé, transgressé des règlements, etc.) et qu'il ne peut encore avouer, il peut ressentir également dans ce cas le sentiment de l'île déserte. Si vous détectez que ce type d'aveu cherche à se dire, laissez-le s'exprimer et aidez-le à développer ce qu'il ressent sur la base de cette métaphore qui le rejoint.

11. Maison barricadée

1. Demander à l'adolescent de décrire l'illustration à sa façon.

Pour aider l'adolescent à percevoir le double message d'ouverture et de fermeture qu'il peut adresser aux autres.

2. Mettre en évidence la métaphore à exploiter.

▶ Discutez avec l'adolescent du côté accueillant ou rebutant de la maison : il remarquera sans doute que l'entrée déneigée et quelques autres indices laissent croire que la maison est habitée ; toutefois, les fenêtres aveugles incitent à penser que ceux qui y habitent ne désirent pas voir à l'extérieur ni recevoir de visiteurs. Devant ce genre de maison, quelle idée se fait-il de ses habitants ? Croit-il qu'ils sont « normaux », bizarres ? Ont-ils des problèmes ?

3. Relier la métaphore à un problème auquel est confronté l'adolescent.

Plusieurs adolescents éprouvent des difficultés à entrer en relation avec les autres, que ce soit sur le plan amoureux, social ou scolaire, sans toujours avoir conscience du fait que leur propre attitude semble fermée et peu accueillante. Insistez sur le fait que ce ne sont pas ses préférences vestimentaires ni la façon dont il pare son corps — et par laquelle il en prend possession — (tatouages, *piercing,* scarifications, bijoux) qui signifient aux autres cette fermeture, mais plutôt une posture affaissée, un regard fuyant, un ton de réponse cinglant qui, tous ensemble, refusent la communication avec l'autre. Vous pouvez utiliser la métaphore pour aborder ce paradoxe de l'adolescence, qui maintient une attitude de fermeture (et c'est ce que les autres perçoivent quand ils voient ses fenêtres fermées) tout en désirant ardemment que l'on vienne à lui (en déneigeant son entrée). As-tu l'impression d'être comme cette maison, à la fois accueillant et inhospitalier ? Crois-tu avoir installé des barricades sur ta maison ? Sont-elles présentes en permanence ou seulement en certaines circonstances ? Comment les manifestes-tu aux autres ? Quelles réactions ont-elles suscitées ?

L'adolescent peut ne pas être conscient de son attitude de fermeture, même si ses parents ont cherché à lui en parler ; en effet, entre les paroles du parent et ce que l'enfant comprend, le message initial peut être considérablement altéré. Sur ce sujet, par exemple, le parent pourra avoir formulé un commentaire du genre : « tu devrais te faire couper les cheveux, on dirait que tu te réfugies tout le temps derrière ta frange, comme si tu avais quelque chose à cacher » ; l'adolescent ne l'intégrera probablement pas tel quel, mais en conclura quelque chose qui ressemblera à : « mon père ne comprend rien ! »

Quand les gens te regardent, quelle idée crois-tu qu'ils se font de la personne qui habite en toi ? As-tu remarqué que tu attirais tel ou tel type de gens ? Lesquels repousses-tu ? Vous pourrez lui faire remarquer que les habitants de la maison barricadée ne se rendent pas compte de l'image qu'ils donnent à la majorité des gens ; peut-être qu'il en est de même dans son propre cas ? Suggérez-lui de mener sa propre enquête et de vérifier auprès de ses proches ce qu'ils perçoivent de son attitude générale. Dans le cadre d'une intervention de groupe (en classe ou en thérapie), il pourrait être approprié de demander aux autres participants ou membres de la famille de formuler un commentaire sur l'image de chacun des individus présents (et non seulement de l'adolescent), en indiquant quels effets leur apparence et leur attitude produisent, ce qu'elles attirent et repoussent.

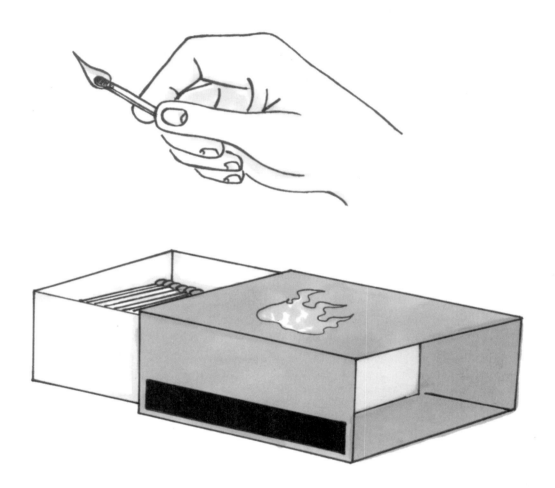

12. Allumettes

Pour aider l'adolescent à analyser ses réactions aux étincelles de sa vie.

1. Demander à l'adolescent de décrire l'illustration à sa façon.

2. Mettre en évidence la métaphore à exploiter.

▸ Discutez avec l'adolescent de la fonction d'une allumette et faites ressortir que, tant qu'elle reste dans la boîte, l'allumette ne sert à rien. Ce n'est qu'après avoir été frottée contre la bande rugueuse qu'elle pourra devenir utile (selon l'usage qu'on en fait). Interrogez-le ensuite sur la durée de vie d'une allumette : l'adolescent pourra spécifier que sa durée de vie est relativement brève, mais que son feu peut perdurer si on le nourrit et l'entretient avec d'autres matières combustibles.

3. Relier la métaphore à un problème auquel est confronté l'adolescent.

De la même façon que l'allumette qui rencontre une résistance est stimulée et engendre une étincelle, nous entrons en contact avec certaines personnes et certaines idées et concevons une flamme qui se traduit en projet, en orientation de vie. La durée de vie de cette flamme se limite parfois à celle d'une allumette ou d'un feu de paille ; il arrive également qu'un souffle vienne l'éteindre prématurément, tout comme il est possible que d'autres éléments d'information l'entretiennent et lui donnent force et vigueur. Demandez à l'adolescent quelles sont ses réactions devant l'étincelle d'un projet : est-il du genre à l'éteindre rapidement en laissant des voix qui ne lui appartiennent pas souffler dessus ?

Plusieurs parents sont embarrassés lorsque vient le moment d'aborder le sujet délicat de la sexualité. Les cours d'éducation sexuelle dispensent bien entendu de l'information, mais ne peuvent répondre aux besoins individuels et aux interrogations de chacun. Or, cette dimension de l'adolescence en préoccupe plusieurs, au point que certains se tourmentent pratiquement à temps plein et s'interrogent : comment les approches et les relations sexuelles doivent-elles se produire ? Avec qui ? Comment c'est ? Quel est le danger réel des maladies transmissibles sexuellement ? etc. La métaphore de l'allumette pourra être utilisée auprès de l'adolescent démuni devant la fulgurance des sentiments et des sensations qu'éveille en lui la flamme amoureuse et sensuelle : comment réagit-il à l'étincelle ? S'emballe-t-il immédiatement en ajoutant du combustible à la flamme ? En fabulant sur les qualités de l'autre au point d'ajouter au feu des éléments irréalistes ? Ou au contraire souffle-t-il sur la flamme pour l'éteindre ?

Les adolescentes enceintes ont généralement tendance à nourrir ainsi une relation feu de paille, en se disant : « lui au moins il va m'aimer » ou « mon chum va s'occuper de moi, il va arrêter l'école pour travailler, on va vivre ensemble, on va être bien tous les deux avec le bébé… » Demandez à la jeune fille d'examiner attentivement les bûches avec lesquelles elle entretient le feu de cette relation : est-ce que ce sont des bûches imaginaires ou réalistes et fondées sur des faits ? Le futur père s'occupe-t-il d'elle maintenant ? Fait-il des projets avec elle ? Serait-il vraiment capable de subvenir à leurs besoins à tous les trois ? Pourraient-ils vraiment éduquer le bébé ? Sont-ils assez mûrs, l'un et l'autre, pour le faire adéquatement ? Croit-elle sincèrement que le feu de cette relation puisse consumer toutes les difficultés ?

Une expérience, déjà fort utilisée, peut permettre au couple adolescent d'envisager avec plus de réalisme les exigences parentales. Certaines cliniques confient ainsi au couple une poupée qui pleure de façon imprévisible, qui doit être alimentée régulièrement, changée de couches et lavée, qui réagit en fait comme un bébé, 24 heures sur 24. Les futurs parents doivent s'en occuper durant une semaine, exactement comme s'il s'agissait d'un véritable bébé à faire garder lorsque l'on sort, à qui penser en permanence, à protéger, etc. Les jeunes sont alors confrontés à une image de la réalité qui leur permet d'évaluer plus justement avec quel type de combustible ils entretiennent leur feu.

Tous les défis qui s'adressent à l'adolescent (s'accepter dans son corps, découvrir la sexualité et les relations amoureuses ou amicales, définir son orientation, franchir les étapes pour parvenir à l'atteinte de ses objectifs professionnels) peuvent pratiquement accabler certains jeunes, notamment ceux dont le potentiel est moindre ou dont le profil correspond moins bien aux normes de la société. La métaphore permettra de faire comprendre à celui qui démissionne qu'il est responsable du souffle de sa flamme : un projet ou un rêve ne peut être porteur s'il n'est pas alimenté par l'enthousiasme et le désir de parvenir à le concrétiser. La meilleure façon d'entretenir la possibilité du métier ou de la profession à venir, c'est encore de s'appliquer à réussir son cheminement scolaire actuel. Comment réagit-il devant une matière qu'il trouve plus difficile ? S'est-il laissé rebuter par des commentaires des autres élèves sur le professeur ? Avait-il décidé de ne pas aimer ce cours ? A-t-il choisi au contraire de laisser de côté les préjugés sur le professeur et la matière pour se donner à fond ?

Cette métaphore s'applique tout à fait à la question de la gestion des émotions fortes : un déclencheur relativement anodin provoque parfois chez l'adolescent un débordement de colère disproportionné à l'événement. Demandez-lui d'abord s'il lui arrive d'avoir des hyperréactions de ce type, alors qu'une simple étincelle tourne à l'incendie : comment la reçoit-il ? A-t-il jeté de l'essence sur le feu en se disant intérieurement à quel point l'autre est injuste et méchant envers lui ? A-t-il cherché à se venger plutôt que de tenter de régler la situation ? A-t-il essayé d'imaginer les raisons qui ont motivé l'autre à agir de cette manière ? Amenez-le à considérer les conséquences d'un feu que l'on entretient et nourrit : non seulement la colère consume la relation, mais encore détruit-elle l'énergie de celui qui l'éprouve à un haut degré ainsi que son estime de lui-même. Prenez le temps de lui expliquer que le facteur des bouleversements hormonaux rend ses réactions encore plus imprévisibles et que, dans ce contexte, le fait d'entretenir en lui-même des sentiments de colère favorise l'éclatement d'actes impulsifs qu'il regrette par la suite. Voyez enfin avec lui quelles stratégies lui permettraient de souffler les étincelles dès qu'elles s'allument : le retrait, le silence, le fait de différer ses réactions, la conviction qu'il est préférable de ne pas prendre de décision dans ces moments trop réchauffés par l'émotion, la discussion du problème avec une personne plus calme, plus objective et détachée de la situation.

Planifier le passage de l'adolescence à l'âge adulte[1]

Depuis le milieu des années 1980, des chercheurs en éducation spécialisée ont commencé à élaborer un modèle formel qui puisse rendre compte du processus de transition de l'adolescence à l'âge adulte, afin de mieux préparer les élèves du secondaire à ce passage.

Les facultés liées à l'adaptation de l'individu à la vie adulte (autodétermination, habiletés à la vie au quotidien comme au sein de la collectivité, préparation à l'emploi et entrée sur le marché du travail, etc.) sont présentées, dans ce modèle, selon une structure de transitions verticales et horizontales qui inclut les principales options que le jeune devra considérer et auxquelles il doit être préparé.

Plusieurs étapes de transition marquent l'itinéraire d'une vie. Certaines sont normales et prévisibles, d'autres sont spécifiques à l'époque et à la situation particulière d'un individu et ne peuvent s'appliquer à tous. Les premières sont définies comme des transitions verticales et sont associées aux événements majeurs de la vie, comme l'entrée à l'école, la fin du cheminement scolaire ou, encore, le fait de vieillir. La planification de ces événements permet d'atténuer de façon sensible les traumatismes et l'anxiété qu'ils peuvent impliquer — toutefois, dans la réalité de tous les jours, la majorité des individus n'accordent que bien peu d'attention à une telle planification. Quant aux transitions horizontales, elles désignent le déplacement d'une situation donnée à une autre. L'une des plus importantes et des plus étudiées des transitions horizontales concerne le mouvement qui va de cadres distincts et bien définis à des cadres de vie moins restrictifs et plus inclusifs : par exemple, le passage de l'hôpital à la maison après la naissance pour l'enfant ou, pour le jeune adulte, le fait de quitter la vie en famille pour vivre le célibat, seul ou en cohabitation avec des pairs ou, encore, la transition du célibat à la vie conjugale. Les transitions horizontales peuvent être difficiles à opérer, notamment lorsque l'individu est mal préparé à évoluer dans un nouveau cadre dont les règles et les normes sont encore inconnues ou à redéfinir : c'est généralement le cas pour la majorité des élèves en difficulté d'apprentissage, lorsque vient le moment de faire la transition de l'environnement scolaire au marché du travail.

Puisque la transition à l'âge adulte s'opère dans plusieurs domaines de la vie de l'adolescent, la planification du processus doit en conséquence permettre de développer (a) une compréhension approfondie de l'itinéraire à effectuer, (b) la connaissance de ce qui devrait en résulter et (c) une variété d'habiletés pour mettre en œuvre avec succès les activités qui permettront d'opérer la transition.

(Suite à la page 63)

[1] Ginger Blalock et Jame R. Patton, « Transition and Students with Learning Disabilities: Creating Sound Futures », *Journal of Learning Disabilities*, 29, 1, janvier 1996, p. 7-16.

13. Pousse

1. Demander à l'adolescent de décrire l'illustration à sa façon.

2. Mettre en évidence la métaphore à exploiter.

Pour aider l'adolescent à entrevoir l'avenir prévisible de certains comportements actuels et le sensibiliser à la nécessité d'adopter aujourd'hui une attitude d'horticulteur face à lui-même s'il désire améliorer certains aspects de sa personnalité.

▶ Pour le moment, il est bien difficile d'identifier la variété de végétal que ce pot contient puisqu'on n'aperçoit qu'une jeune pousse qui ne permet pas encore d'identifier la plante qu'elle deviendra. Vous pouvez demander au jeune s'il croit qu'en donnant à la jeune pousse un ensoleillement suffisant, l'engrais nécessaire et l'eau dont elle a besoin, elle aura plus de chance de prendre de la force et de parvenir à maturité que si l'on ne s'en occupe pas.

3. Relier la métaphore à un problème auquel est confronté l'adolescent.

De façon générale, qu'es-tu en train de semer dans le terreau de ton avenir ? Si tu poursuis ton chemin avec tes semences actuelles, qu'est-ce qui poussera professionnellement, personnellement, sur le plan de l'estime de toi-même ? Est-ce bien là ce que tu désires vraiment connaître dans l'avenir ? Vous pouvez explorer avec le jeune différents aspects de sa vie, en l'amenant à réfléchir à ses comportements actuels et à leurs conséquences sur son avenir. Auprès d'un jeune qui s'initie à un comportement à risque, la métaphore permet de regrouper toutes les actions qui y sont associées dans un même ensemble : la culture d'un problème futur. Vous pouvez ainsi présenter la situation à celui qui fait usage des drogues : « si tu entretiens bien ton envie de consommer, que tu te procures les contacts nécessaires pour te fournir régulièrement, que tu prends plaisir à multiplier tes expériences, à en parler à tes amis et à raconter tes « trips », ce que tu sèmes grandira et prendra plus d'ampleur, jusqu'à l'état mature, où tu te seras cultivé une dépendance à la drogue ». De la même manière, la métaphore permettra de discuter, avec celui qui sèche ses cours, des conséquences de ce qu'il sème actuellement : un décrochage scolaire ; avec celui qui vend des drogues : un dossier criminel, etc. Vous devrez insister sur le fait que la petite pousse, en elle-même, ne semble pas bien alarmante, mais toute l'énergie qui lui est consacrée contribue à la rendre plus résistante : il est évident qu'en entretenant consciencieusement un comportement à risque, on le renforce continuellement et il devient de plus en plus difficile de le déraciner.

Les jeunes qui éprouvent beaucoup de timidité ont de la difficulté à faire les premiers pas vers l'autre, en amitié ou en amour, et à communiquer publiquement (présentations orales, arrivée dans un nouveau groupe), paralysés qu'ils sont par le sentiment de ne pas être « adéquats ». Si c'est le cas de votre adolescent, comparez la jeune pousse à son potentiel, sa valeur, son essence propre, et demandez-lui comment il la soigne quotidiennement. A-t-il tendance à l'écraser et à la piétiner, en se disant : « je ne réussirai pas », « je vais avoir l'air stupide encore », « je ne donnerai pas une bonne performance », « les autres vont me rejeter et je ne mérite rien d'autre » ? Si oui, comment pourrait-il au contraire lui apporter tous les soins nécessaires à sa croissance ? Demandez-lui de faire un inventaire des éléments stratégiques qui lui permettraient de favoriser l'épanouissement de sa jeune pousse : apprendre à défier sa timidité et à la confronter graduellement, afin de se prouver à lui-même qu'il est capable de la surmonter ; se donner la peine de consacrer du temps à l'étude et à la révision d'une matière avant de conclure qu'il n'y comprend rien ; développer des techniques d'approche graduelle dans ses relations amoureuses (allusions, petites attentions progressivement plus marquées) plutôt que d'arriver de but en blanc devant l'autre et de s'obliger ainsi à échouer ; aller chercher conseil auprès d'amis, d'adultes en qui il a confiance ou encore par des lectures, etc.

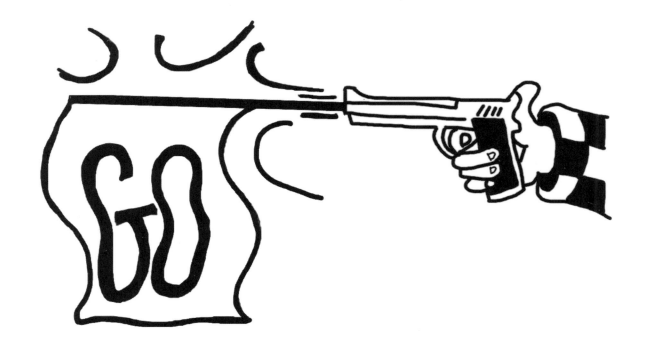

14. Signäl de départ

Pour aider l'adolescent à mobiliser son énergie et son attention au moment d'accomplir des tâches ou des actions qui lui semblent a priori difficiles ou insurmontables.

1. Demander à l'adolescent de décrire l'illustration à sa façon.

2. Mettre en évidence la métaphore à exploiter.

> ▸ Ce signal a généralement pour but d'annoncer le départ d'une compétition entre plusieurs concurrents, qui doivent demeurer très vigilants et se préparer à réagir en une fraction de seconde afin de s'assurer des meilleures conditions de performance dès le début de la course.

3. Relier la métaphore à un problème auquel est confronté l'adolescent.

L'adolescent se sent généralement à l'aise dans les matières dans lesquelles il connaît plus de facilité : en conséquence, il respecte spontanément les signaux de départ qui lui sont lancés dans ce domaine (faire ses devoirs, réviser ses notes, réaliser ses travaux). En contrepartie, il s'avère généralement moins prompt dans les matières qui lui paraissent plus difficiles : l'image du signal de départ pourra l'aider à concentrer son attention en l'obligeant à se fixer un moment d'attaque précis. Suggérez-lui de découper l'illustration et de l'utiliser par exemple comme signet dans les pages du manuel de la discipline qui le rebute. Amenez le jeune à envisager les conséquences d'un départ raté : si le coureur perd la majeure partie de ses chances de remporter la course ou risque d'être disqualifié, il peut, en tant qu'élève, ne pas franchir avec succès l'épreuve des examens et s'expose à la disqualification de son année scolaire.

Sur la base de cette métaphore, qui sert de point de départ à la discussion, aidez l'adolescent à élaborer ses propres signaux de départ, qui lui conviennent et le mobilisent lorsque vient le moment de s'attaquer à ses travaux — comme le fait de se fixer une heure quotidienne pour commencer travaux et leçons ou en prévoyant se récompenser de ses efforts en proportion de la qualité du travail accompli (s'accorder une période de jeu vidéo variable selon son degré de satisfaction, par exemple).

Certaines situations se révèlent particulièrement éprouvantes pour les plus timides, comme lorsque vient le moment de régler un différend avec un ami, d'interagir avec le personnel enseignant ou la direction de l'école malgré la honte ou la culpabilité d'avoir commis une mauvaise action, ou encore de faire preuve de courage en faisant les premiers pas vers une personne encore inconnue. Parmi les supports qu'il est possible d'apporter à l'adolescent, suggérez d'abord une période de concentration sur l'illustration, afin qu'il puisse inscrire en lui les réactions physiques et psychologiques provoquées par le pistolet de départ et qu'il puisse ensuite, en situation concrète, réagir en entendant intérieurement le signal. Prenez le temps de lui demander quel type de signal lui semble le plus adéquat et, au besoin, substituez celui-ci au pistolet de l'illustration : il est possible qu'un geste représente pour lui la meilleure façon de se mettre en action (comme avancer un pied ou lever la main) ou encore la pensée du résultat de sa rencontre, non pas tant en imaginant ce qui en résultera, mais en visualisant à l'avance son soulagement d'avoir osé agir. Vous pouvez ensuite le placer en situation d'interaction, dans un jeu de rôle où vous tenez vous-même le rôle de la personne qui l'intimide : exercez plusieurs scénarios afin de lui permettre d'améliorer ses réactions verbales et non verbales et d'augmenter son aisance. Il peut également s'avérer utile de faire jouer au jeune le rôle de l'interlocuteur qu'il craint : vous découvrirez peut-être ainsi, par ses répliques et ses attitudes, ce qu'il appréhende vraiment chez cette personne. Guidez enfin l'adolescent dans la considération des conséquences à long terme de la situation qu'il craint d'affronter : qu'adviendrait-il s'il ne participait pas à cette course ? S'il y participait mais ratait son départ ? Et s'il prenait bien le départ, aurait-il plus de chance de franchir le fil d'arrivée parmi les premiers ? Quelle serait son image de lui-même s'il avait le courage d'affronter cette difficulté avec fierté, détermination et ténacité ?

15. Piles d'énergie

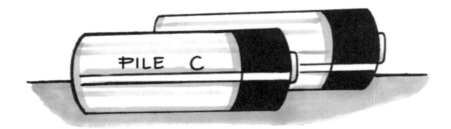

15. Piles d'énergie

1. Demander à l'adolescent de décrire l'illustration à sa façon.

2. Mettre en évidence la métaphore à exploiter.

Pour aider l'adolescent à comprendre que sa nonchalance n'est pas le fait d'une soudaine paresse de sa part, mais qu'elle accompagne les transformations importantes de son corps comme de son esprit, afin de lui permettre d'identifier des méthodes de recharge d'énergie ou encore des moyens d'en réduire les coûts.

> ▸ L'utilité des piles est de fournir de l'énergie à un appareil quelconque, selon des capacités variant en fonction de leur format : les piles C servent ainsi aux plus énergivores tandis que les piles AA pourront fournir une puissance comparable, à condition d'augmenter leur nombre.

> ▸ Bien qu'il s'agisse d'un bien de consommation courant et qu'il soit assez facile de s'en procurer, il faut néanmoins savoir que les piles sont vendues dans des endroits susceptibles de garder en inventaire des objets de première nécessité (les pharmacies, dépanneurs, épiceries, magasins à rayons, etc.).

3. Relier la métaphore à un problème auquel est confronté l'adolescent.

Le fait d'entretenir des conflits (avec les parents, les membres de la famille, le personnel scolaire), de les laisser perdurer, voire de les alimenter, a pour effet direct de vider les réserves d'énergie. Faites remarquer à l'adolescent quelles sont ses réactions lorsqu'il croise la personne avec qui il entretient ce conflit ou dès qu'il pense à elle : son énergie le fuit, par décharges électriques qui le traversent sans rien produire d'autre que du ressentiment ou de la colère. Si les coûts d'une réconciliation lui semblent élevés (il faut mettre son orgueil de côté et aller vers l'autre, s'expliquer, entendre son point de vue, etc.), vous devez lui faire comprendre qu'ils se révéleront moindres à long terme que ceux qu'il paye actuellement. Il sera probablement nécessaire de le guider un peu dans les étapes d'approche de la réconciliation : l'adolescent doit en effet comprendre qu'il ne suffit pas d'aller murmurer un timide « s'cuse » pour résoudre une relation conflictuelle. Si vous intervenez dans un contexte psychothérapeutique, vous pourrez faire s'exercer le jeune aux différentes étapes de résolution de conflits. Dans un premier temps, le jeune qui va à la rencontre de l'autre doit commencer par reconnaître ce que celui-ci a pu ressentir dans le conflit, face aux commentaires qu'il a reçus ou aux actions qui l'ont blessé. Expliquez-lui qu'il n'a pas à déterminer qui a commencé et qui a raison, mais qu'il lui faut plutôt admettre, entendre et justifier les sentiments de l'autre : « je sais que tu as eu de la peine quand j'ai dit telle chose, que tu as été en colère quand j'ai fait telle chose, et si je me mets à ta place, j'arrive à comprendre et à accepter ta réaction ». Dans un second temps, il est nécessaire d'expliquer les raisons de sa propre attitude en précisant quelles étaient ses pensées et ses motivations du moment : lorsque l'autre comprend les motifs d'un comportement blessant, il lui est possible de l'accepter et peut-être même de le pardonner. Enfin, il importe d'offrir une solution au conflit, une solution à laquelle il faut déjà avoir réfléchi : il peut s'agir d'excuses sincères, d'une suggestion pour une meilleure façon de faire (« la prochaine fois que j'aurai des commentaires à émettre, je m'assurerai de te les communiquer en privé plutôt que devant toute la classe »).

Le jeune éprouve souvent des pannes d'énergie ; ce phénomène est généralement sous-estimé par les adultes qui jugent l'adolescent paresseux, lent, veule et lui reprochent son manque de dynamisme. Dans les faits, la croissance à elle seule consomme énormément d'énergie (à titre de comparaison, évaluez à quel point quelques livres en trop exigent plus de votre carburant...) et fatigue vraiment le jeune dont le corps grandit et entre dans une nouvelle phase de fonctionnement. Prenez garde, dans ce contexte, à ne pas confondre un épuisement normal causé par la vitesse et l'importance de ses transformations physiques et hormonales avec un manque de force de caractère, de discipline et de détermination. Pour le jeune qui vit ces changements, qui ne les comprend souvent pas, il peut s'avérer préjudiciable de se voir reprocher une nonchalance à laquelle il n'a pas toujours le choix de s'abandonner. En outre, une grande partie de son énergie est sollicitée par l'apparition de nouvelles émotions en lui ; plus précisément, il redécouvre celles qu'il avait déjà expérimentées, mais avec une intensité décuplée et une sensibilité aux différents événements de la vie bien souvent exacerbée — qu'il s'agisse du quotidien ou de tragédies, tout l'atteint et le touche…

Demandez au jeune s'il a pris l'habitude de recharger ses piles de lui-même : se rend-il compte rapidement que sa réserve d'énergie est pratiquement épuisée ? Attend-il trop tard pour le faire ? Comment le fait-il ? Dressez un inventaire des méthodes de ressourcement, en attribuant à chacune une note évaluant sa valeur énergétique (de 0 à 10) et sa durée de recharge. Voici quelques suggestions que vous pourrez soumettre aux plus indécis : dormir (ce qu'il fait probablement déjà mais à des heures qui ne lui permettent pas de récupérer autant), également être avec des amis, vivre de nouvelles expériences qui éveillent sa curiosité et le gardent en alerte ; se familiariser avec toutes les inconnues qu'il est maintenant en âge d'apprivoiser (les relations avec les autres, les nouveaux défis scolaires, etc.) ; dépasser ses limites en s'obligeant à faire des choses qui exigent du courage, petits exploits du quotidien (aller parler à quelqu'un qui l'intimide mais dont il veut devenir l'ami) ou plus remarquables (relever un défi de longue haleine en améliorant ses performances en musique ou en sport) ; communiquer vraiment, en partageant avec le plus d'authenticité ce qu'il ressent et en étant vraiment attentif à l'autre. À ceux qui identifient les partys et la consommation d'alcool et de drogues comme recharges d'énergie, vous devrez sans doute expliquer que la pile s'épuise ensuite plus rapidement ; la preuve en est qu'ils ressentent graduellement le besoin de plus en plus fréquent de fêter… Ces réserves s'avèrent donc trop éphémères pour fournir une énergie durable et de qualité suffisante.

Évaluez avec l'adolescent ce qui, dans sa vie, lui coûte le plus d'énergie : ce peut être une activité à laquelle il déteste se livrer ou encore une matière scolaire qui l'épuise parce qu'il ne la maîtrise pas suffisamment. La solution n'est évidemment pas d'éviter ce qui le fatigue ainsi, mais plutôt de développer des stratégies de réduction des coûts. Amenez-le à comprendre que plus il s'exercera à cette habileté qui lui fait défaut pour le moment, mieux il la possédera et moins elle lui coûtera d'énergie ; au contraire, lorsqu'il attend et retarde le moment de s'attaquer à la tâche en entretenant des soliloques destructeurs (« je suis vraiment nul dans ce domaine, un gros zéro ! » ou « ah non ! pas encore cette tâche à faire ! »), il gaspille alors ses piles inutilement.

Planifier le passage de l'adolescence à l'âge adulte (suite de la page 55)

Le tableau suivant illustre quelques éléments de la transition de l'enfance à l'âge adulte :

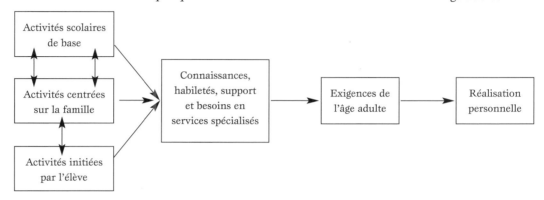

L'éducation à la transition commence dès les premières années scolaires et doit impliquer étroitement les élèves dans ce processus d'apprentissage. Selon la Division du développement de carrière et de transition du Conseil américain pour l'enfance exceptionnelle, la transition à l'âge adulte se définit de la façon suivante :

> La transition renvoie à un changement de statut, du comportement premier de l'élève jusqu'au moment où celui-ci fait face à l'émergence de ses rôles d'adulte dans la collectivité. Ces rôles incluent l'employabilité, la participation à un programme d'éducation post-secondaire, l'entretien domestique, l'implication appropriée dans la communauté et l'expérience de la satisfaction personnelle ainsi que des relations sociales. Le processus de développement transitionnel implique donc la participation et la coordination des programmes scolaires, des services de placement en emploi ainsi que des aidants naturels à l'intérieur de la collectivité (Halpern, 1994).

Les jeunes et jeunes adultes qui vivent un problème d'apprentissage et qui participent activement à un processus de transition individualisé doivent en effet être supportés par une équipe à vocations multiples, qui pourra les guider dans l'identification et l'évaluation de leurs choix à propos de leur formation ultérieure, du travail, des modalités de vie quotidienne, des soutiens disponibles en santé physique et mentale, des options de transport, des loisirs et des habitudes de divertissement ou autres aspects de la vie.

Selon Ginger Blalock, l'équipe d'accompagnement devrait se constituer d'un élève, d'un ou des membres de la famille, de professeurs en éducation générale ou spécialisée, d'un administrateur ou un conseiller, d'un représentant d'éducation postsecondaire, d'un membre d'une agence de placement ouverte aux besoins des élèves en difficulté et peut-être encore d'une autre personne en lien avec les services de transition. Le suivi et la prise de décision par l'équipe (plutôt que par un seul conseiller) permet à tous les membres de demeurer concentrés sur l'objectif (l'avenir de l'élève en difficulté) et de cibler efficacement les buts éducationnels et professionnels qui assureront la transition de l'école au monde adulte.

(Suite à la page 67)

16. De la coupe aux lèvres

1. **Demander à l'adolescent de décrire l'illustration à sa façon.**

Pour aider l'adolescent à établir une relation à l'autre plus respectueuse et à développer une lecture de la réalité plus riche et nuancée.

2. **Mettre en évidence la métaphore à exploiter.**

▸ Guidez le regard de l'adolescent en lui demandant ce qu'il voit lorsqu'il observe les formes noires de l'illustration (deux visages) puis la forme blanche (une coupe). Faites-lui remarquer qu'une même réalité produit deux images différentes et coexistantes, même si, spontanément, nous sélectionnons l'une plutôt que l'autre.

3. **Relier la métaphore à un problème auquel est confronté l'adolescent.**

Le même phénomène se produit dans nos relations avec les autres alors que les avis sur une personne (un professeur, un parent, un ami) peuvent être diamétralement opposés : certains la trouvent formidable, d'autres l'estiment plutôt quelconque ; pourtant, il s'agit toujours de la même et seule personne. Le réflexe le plus fréquent sera de considérer que notre point de vue est meilleur, plus juste, que celui de l'autre : les visages l'emportent sur la coupe et l'on ne comprend pas que l'autre s'accroche à sa vision des choses en dépit de l'évidence. Toutefois, les deux conceptions existent, sont justifiées par certains faits et sont toutes deux valables. Vous pouvez comparer avec l'adolescent la différence qu'il y a entre une vision unidimensionnelle de l'illustration et une vision complète, qui tienne compte des deux réalités, de façon alternative ou même simultanément (il est possible de voir les deux presque en même temps) : laquelle est la plus riche et la plus intéressante ? De la même manière, lorsqu'il vit une divergence d'opinions avec quelqu'un, quelle attitude s'avère la plus féconde : dénigrer le point de vue de l'autre pour imposer le sien ou tenter de considérer à la fois les deux points de vue en faisant ressortir en quoi ils se rejoignent et se complètent ? Explorez avec le jeune ses expériences sur ce sujet : lui est-il arrivé d'enrichir son point de vue en le nuançant à partir des observations de l'autre ? En quoi cette expérience diffère-t-elle des occasions où il a défendu obstinément son opinion en excluant celle de l'autre ? Au terme de la discussion, la qualité de sa relation avec son interlocuteur était-elle la même dans l'une ou l'autre de ces situations ?

Toute personne comme toute chose possède des aspects négatifs et positifs ; certaines personnes insistent surtout sur la partie blanche, d'autres ne considèrent que la noire. Le discours sur la drogue, par exemple, est radicalement tranché : certains pensent qu'il s'agit là d'une substance extraordinaire, relativement peu chère, qui permet de vivre des expériences fabuleuses et croient que ceux qui en font usage sont vraiment spéciaux ; d'autres affirment qu'il est dangereux d'en consommer, car la drogue provoque une dépendance, nuit aux cellules du corps en pleine croissance, réduit le cercle des amis et éloigne les plus raisonnables. Le jeune a tendance à opter pour l'une ou l'autre de ces versions, de façon exclusive ; toutefois, les deux options existent et il est plus réaliste de considérer les deux versants d'une même réalité.

À l'égard de l'avenir, les opinions sont également tranchées, tant chez les adolescents que chez les adultes : certains affirment qu'il n'y a plus d'emploi disponible, que les bonnes conditions de travail sont désormais chose du passé, que les jeunes ont moins de chances que les plus expérimentés dans un marché extrêmement compétitif. Ils en concluent que cela ne vaut pas vraiment la peine de mettre tant d'énergie et d'effort à l'école pour se retrouver de toute manière devant un avenir sans débouché. D'autres tendent à voir les choses autrement, en interprétant ce contexte comme un magnifique défi, en assurant qu'il y a encore des gens qui croient aux jeunes et les accueillent dans leur entreprise, en reconnaissant que leurs conditions de travail sont peut-être moins enviables, mais qu'il s'agit d'une situation temporaire, le temps qu'ils acquièrent leur expérience. Ils en concluent pour leur part qu'ils trouveront du travail auprès de personnes dynamiques qui leur apprendront beaucoup et les inciteront à se dépasser. Il faut savoir intégrer une partie de chacune de ces deux visions de la réalité et non pas en adopter une à l'exclusion de l'autre.

À l'égard des personnes également, il peut s'avérer difficile pour le jeune de considérer les choses avec objectivité, notamment devant certaines figures d'autorité comme un professeur ou un directeur. Si, en tant que parent, vous adoptez l'aversion de votre enfant envers l'un de ses professeurs unanimement détesté par les élèves, vous renforcez ce réflexe de juger l'autre en ne tenant compte que de la mauvaise part des choses. Dans toute critique, il y a bien sûr un fond de vérité — le professeur est peut-être, effectivement, plutôt sévère et maladroit avec ses élèves — et vous ne pouvez le nier. Vous n'avez pas non plus à inventer des qualités humaines à ce professeur honni de tous. Toutefois, vous pouvez aider votre adolescent à développer un point de vue objectif en l'amenant à considérer le contexte et les causes probables de l'attitude de ce professeur : celui qui ne reçoit constamment que des plaintes et des critiques ne peut que s'endurcir, devenir agressif, et ressembler de plus en plus à ces commentaires qui le blessent ; puisque tout le monde le condamne d'avance, il ne lui sert à rien de tenter d'être autrement. La charge d'un professeur ne se résume pas, par ailleurs, à sa capacité d'entrer en relation avec ses élèves, mais repose sur les facultés de planification des cours, de conception des évaluations, de transmission des connaissances, ainsi que sur l'aptitude à mettre régulièrement à jour ses propres compétences. Demandez à l'adolescent s'il est capable d'estimer le savoir de son professeur, sa capacité à expliquer clairement et de façon compétente une matière complexe ? Peut-il par ailleurs tenter d'imaginer comment ce professeur se sent lorsqu'il capte l'hostilité générale qu'il inspire ? Peut-il voir à quel point cela exige du courage de faire face ainsi chaque jour à cette hostilité ?

lanifier le passage de l'adolescence à l'âge adulte (suite de la page 63)

Voici d'ailleurs un calendrier de planification des étapes de transition et des services aux élèves en difficulté d'apprentissage :

Élémentaire	Classe intermédiaire	Secondaire
Sondage des aspects scolaires, développementaux, informels et des intérêts de l'enfant	Évaluations de la réussite scolaire, de l'adaptabilité et des intérêts de l'enfant	9e: sondage de l'intérêt à la formation professionnelle et des valeurs / 11e-12e : mise à jour de l'évaluation
Programme d'éducation individualisé	Programme d'éducation individualisé, plan quadriennal pour l'école secondaire	Plan de transition individualisé intégré au programme d'éducation individualisé
Habiletés de base des comportements liés au travail* Formation à l'autodétermination Sensibilisation au choix de carrière	Habiletés de base des comportements liés au travail* Autodétermination Exploration de choix de carrière	Habiletés de base (en contexte de travail et/ou de classe) Autodétermination Éducation à la carrière
Travaux ménagers, loisirs et passe-temps à la maison et à l'école	Travail à l'essai dans plusieurs milieux variés et expériences supervisées (bénévolat et petits travaux)	Travail rémunéré dans des milieux variés, avec décroissance graduelle de la supervision.

*Ces comportements incluent les habiletés sociales, l'éthique professionnelle, les habiletés au raisonnement et à la résolution de problèmes, la ponctualité, la fiabilité, la volonté d'aller jusqu'au bout de ses engagements, la capacité de suivre les directives et autres.

Une telle orientation de la formation de l'élève présente l'avantage de construire sur la base de ses habiletés plutôt que de considérer exclusivement ses déficits. En effet, si les domaines liés à la performance scolaire sont ceux qui demeurent le plus susceptibles d'être affectés par les difficultés d'apprentissage, d'autres niveaux de performance peuvent être définis et évalués d'une façon tout à fait honnête sans se concentrer indûment sur les déficits. Les étudiants en difficulté d'apprentissage peuvent avoir développé certaines forces sur lesquelles ils peuvent s'appuyer, soit dans les domaines du développement physique et moteur, des performances sociales et comportementales, des habiletés à vivre seul et à assumer son indépendance, voire des facultés au développement de carrière, qu'elle soit professionnelle ou technique. Le fait de se fonder dès le départ sur ces habiletés permet d'établir une planification efficace, orientée vers les résultats et d'inspirer au jeune une plus grande confiance dans sa capacité à entrer dans le monde adulte.

tial ud rit es tahc el

siruos al eut noil el

17. Lecture inversée

1. Demander à l'adolescent de lire le texte de l'illustration.

Pour aider l'adolescent à déjouer les mécanismes automatiques du cerveau humain en l'incitant à demeurer vigilant à l'égard de ses premières impressions.

2. Mettre en évidence la métaphore à exploiter.

▸ Prenez d'abord le temps de faire lire les phrases de l'illustration à l'adolescent. S'il les lit correctement, l'exercice ne sera pas très parlant pour lui (vous trouverez une autre illustration qui aborde le même point). Sinon, s'il lit le mot « rit » au lieu de « tir » ou le mot « eut » au lieu de « tue » (comme dans 70 à 80 % des cas), expliquez-lui que, comme il vient de le constater, notre cerveau a tendance à choisir le chemin le plus court, celui de la facilité et du déjà connu, avec pour résultat que, si l'on ne se donne pas la peine de concentrer notre attention, nous obtenons une lecture erronée de la réalité.

3. Relier la métaphore à un problème auquel est confronté l'adolescent.

Dans nos relations aux autres, notre cerveau choisit aussi souvent la voie de la facilité : plutôt que de considérer tous les aspects d'une personnalité, nous nous arrêtons à ce qui semble le plus évident de prime abord. Par exemple, si l'adolescent auprès duquel vous intervenez constate que ses parents ont une attitude impatiente à son endroit, il en conclura que son père et sa mère sont insensibles, peu compréhensifs, qu'ils ne font aucun effort pour le comprendre et ne s'intéressent plus à lui. Sans invalider le sentiment de solitude et de rejet du jeune, vous pouvez l'interroger sur les motifs probables de leur réaction de fermeture (autres que « ils me détestent » ou « ils sont comme ça ») et sur les raisons qui les ont amenés à imposer des limites fermes à sa conduite. Le fait de réfléchir sur ce qui motive ses parents et de tenter de se mettre à leur place atténuera ses sentiments d'isolement et d'incompréhension, voire d'injustice, et lui permettra d'effectuer une meilleure lecture de leurs réactions.

L'adolescent qu'un ami délaisse de façon soudaine et inattendue aura tendance à interpréter ce retrait comme du snobisme ou à le taxer de bizarrerie. Dans les faits, plusieurs autres motifs peuvent être à la source de cette prise de distance : l'ami ne se sentait peut-être pas accepté par le jeune ; il traverse peut-être des difficultés importantes et ne veut ou ne peut en discuter, préférant se retirer plutôt que de devoir faire face à des questions sur son attitude morose, etc. Faites un tour d'horizon des relations difficiles de l'adolescent au cours des derniers mois et amenez-le à donner son interprétation sur chacune d'elles, en l'aidant à se rappeler à quel point son cerveau peut parfois le tromper en lui faisant voir seulement la solution la plus évidente. Par exemple, il se peut que vous ayez à lui faire remarquer que, selon ses commentaires, c'est toujours l'autre qui est fautif... Y aurait-il d'autres explications à ces comportements ? Quelles interprétations plus fouillées et empathiques pourrait-il formuler à propos de ces situations ?

L'expérience antérieure préforme de façon indéniable notre réalité : si le jeune a déjà été la cible de quolibets et de commentaires mesquins au cours de précédents partys, il interprétera spontanément en ce sens les situations à venir et craindra de recevoir, dans des circonstances similaires, les mêmes insultes et de faire rire de lui. Pour contourner l'automatisme par lequel cette peur lui vient à l'esprit, suggérez-lui de tenir compte seulement des personnes qui lui témoignent du respect et ne le jugent pas, plutôt que de mettre l'accent sur les deux ou trois qui se moquent de lui.

Le jugement sur soi peut également fonctionner de façon aussi automatique, notamment lorsque le jeune est plutôt pessimiste sur sa capacité à affronter les événements et qu'il appréhende son avenir en ne tenant compte que de ses manquements passés. Demandez-lui de penser aux commentaires intérieurs qu'il s'adresse à lui-même : en majorité, sur quoi insistent-ils ? Comment sont-ils formulés ? Utilisent-ils les mots « toujours », « encore une fois » ? Croit-il vraiment qu'il s'évalue de façon tout à fait objective ? Essaie-t-il de lire autrement les possibilités de son avenir ou adopte-t-il simplement le même discours redondant qu'il s'est toujours servi ?

Tes histoires de chasse et de pêche
vous ont rendus, ta femme et toi,
complètement déments.

18. « T »

Pour aider l'adolescent à réfléchir à ce qu'il tient pour acquis dans ses relations avec les autres ou pour lui permettre de prendre davantage sa place dans ses relations interpersonnelles.

1. Demander à l'adolescent de compter le nombre de « t » dans l'encadré.

2. Mettre en évidence la métaphore à exploiter.

> La majorité des gens ne comptent que 5 à 8 « t », oubliant par exemple celui du « ont » ou du « et » parce que ces « t » ne sont pas prononcés et parce que ces mots sont tellement courants que l'œil les lit sans que le cerveau n'en tienne compte.

3. Relier la métaphore à un problème auquel est confronté l'adolescent.

L'adolescent s'habitue, comme tout être humain, à la routine ou aux événements répétitifs, au point de ne plus les voir et d'avoir l'impression que les autres, notamment ses parents, ne font plus rien pour lui. Y a-t-il des « t » qu'il ne perçoit plus dans sa relation avec ses parents ? Quelles sont les choses qu'ils font pour lui et qu'il ne compte plus, qu'il tient pour acquises ou considère comme tout à fait normales ? Oublie-t-il le lavage, les repas, les transports qu'ils font pour lui ? Quels sont les « t » qu'il n'a pas comptabilisés au cours de la dernière semaine ? Peut-il en retracer au moins cinq ? Inévitablement, cet exercice provoquera un sentiment de reconnaissance chaleureuse chez le jeune, alors qu'il appréciera les gestes quotidiens qui lui sont offerts malgré le manque de temps, la fatigue, les horaires chargés, etc. Le même exercice peut être effectué en regard d'autres personnes significatives de son entourage.

Certains adolescents ressemblent aux « t » du « ont » et du « et » de l'encadré : leur timidité les efface complètement du décor, ils n'osent jamais se prononcer, ne participent pas aux discussions, ne prennent pas d'initiative et leur entourage ne les remarque pas. Avec le temps, la gêne du jeune se voit renforcée par le sentiment d'être oublié, délaissé, rejeté — alors que tout, dans son attitude, contribue justement à ce qu'il ne soit pas pris en compte. Abordez le problème en lui demandant : « As-tu l'impression de ressembler au « t » de « tes » ou de « histoires », qui se prononcent, qui s'affirment, qui prennent leur place et sont remarqués de tous, ou bien te comparerais-tu plutôt aux « t » du « ont » et du « et » ? Pourrais-tu me décrire une situation où tu aurais voulu produire un « t » bien prononcé sans y parvenir ? » Il serait sans doute approprié de reprendre cette situation, de la rejouer sous forme de jeu de rôle, en faisant s'exercer le jeune aux répliques ou aux attitudes qu'il n'est pas parvenu à produire alors.

Si les épisodes d'affirmation du jeune, habituellement paralysé par sa timidité, surviennent au moment où il ne se contient plus et perd le contrôle, où il crie, explose de colère, se bat, etc., demandez-lui s'il est satisfait de cette façon de prendre sa place. Quel effet produit-elle sur les autres ? Vous devrez sans doute lui expliquer que, si les seules manifestations qu'il laisse s'exprimer appartiennent à ce type de comportement, les autres ne peuvent le juger que sur cette base puisqu'ils n'ont d'autres points de référence pour se former une idée de sa personnalité. Demandez-lui d'imaginer les comportements qui lui permettraient d'obtenir que les autres se fassent une autre idée de lui, en prenant sa place d'une façon posée, honnête, respectueuse, intelligente. Est-il prêt à tenter une manifestation de « t » bien perceptible en mettant en œuvre ce comportement ou cette attitude cette semaine ?

La timidité d'un adolescent peut amener ses compagnons à l'exploiter. Amenez-le à voir qu'à moyen et long terme, il lui sera encore plus difficile de sortir de son rôle de faire-valoir : plus la situation perdurera, plus il se sentira fade, craignant d'être rejeté si jamais il formulait son opinion et plus se confirmera son impression d'être apprécié seulement parce qu'il est l'ombre d'un autre. Il ne peut en résulter qu'une profonde insatisfaction et de l'amertume, car chacun a des idées, un potentiel, des valeurs, un point de vue, une essence qui le fait être ce qu'il est et qui cherche constamment à s'affirmer et à se voir reconnue.

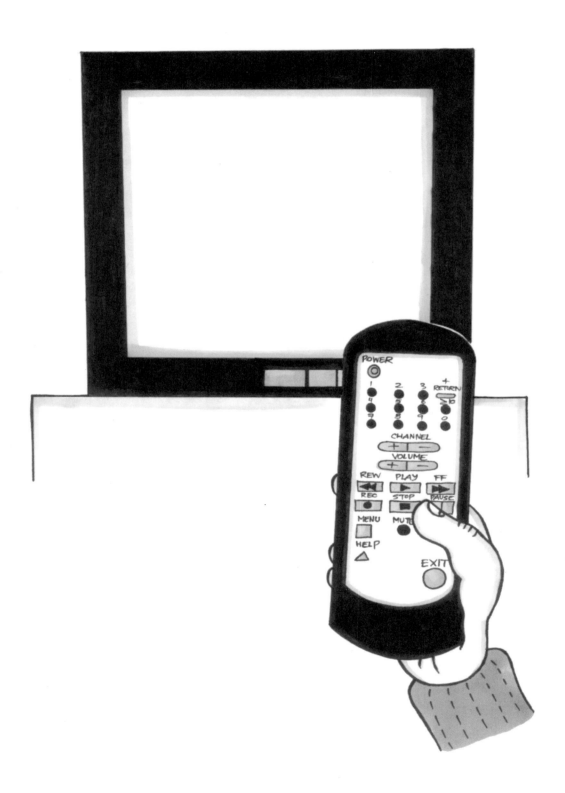

19. Télécommande

1. Demander à l'adolescent de décrire l'illustration à sa façon.

2. Mettre en évidence la métaphore à exploiter.

Pour aider l'adolescent à agir sur le flot de ses pensées lorsqu'elles prennent une direction qui lui est néfaste, soit à cause des transformations normales, mais désagréables, de la croissance, soit à cause d'un événement qui le tourmente sans qu'il puisse avoir prise sur lui.

▶ Prenez le temps de faire décrire à l'adolescent les différentes fonctions de la télécommande, même s'il les connaît, afin de le préparer à la troisième partie de l'exercice (mise sous tension, mise en marche, avance rapide, retour, enregistrement, pause, arrêt, muet, menu, programme, effacer, sortie, index, compteur/horloge, aide, chiffres servant à sélectionner les postes de télévision ou à programmer le magnétoscope).

3. Relier la métaphore à un problème auquel est confronté l'adolescent.

L'adolescent vit presque inévitablement des périodes de turbulence qui peuvent être causées par des événements extérieurs ou par des déclencheurs intérieurs. Les changements hormonaux produisant des phénomènes de croissance qu'il accepte parfois difficilement (taille et poids inférieurs ou supérieurs à ce qu'il désirerait, boutons, etc.) contribuent évidemment à l'intensité des turbulences. La télécommande permet d'interrompre *(pause)* ou d'atténuer *(muet)* les voix intérieures qui le tourmentent : quand celles-ci prennent toute la place (« t'es trop gros », « t'es trop petite », « t'as l'air fou avec tes grands bras », « t'es pleine de boutons »), il ne s'entend plus réfléchir, il ne peut plus analyser objectivement la situation. Durant cette période de changement, il peut s'avérer sage de ne pas se prendre au sérieux ni de concentrer toute son attention sur les changements de son corps qui le dérangent et avec lesquels il ne se sent pas confortable ; lorsque ces messages destructeurs lui viennent en tête, il pourrait ainsi prendre l'habitude d'appuyer sur les boutons de la télécommande qui coupent le son ou l'image ou de sélectionner le « poste » mental qu'il souhaite écouter.

De la même manière, l'adolescent aux prises avec un choc post-traumatique, que ce soit à la suite d'un accident, d'un incendie, d'un sinistre naturel, etc., ne dispose pas des ressources ni de la maturité pour faire face à la récurrence constante des images de l'événement. À court terme, afin de l'aider à recouvrer ses moyens, suggérez-lui d'utiliser la fonction *muet* de la télécommande pour traverser la zone de turbulence que ce souvenir provoque. Cette stratégie s'avère de beaucoup préférable à d'autres, plus nocives et destructrices, comme appuyer sur le bouton de la *sortie* de programme, comme ceux qui envisagent le suicide, ou sur *retour* et *mise en marche* à répétition, comme ceux qui font continuellement reculer et rejouer la scène en solitaire, en revivant chaque fois les émotions qu'elle suscite. Cette dernière attitude peut se révéler constructive, à condition que le jeune revoie les extraits en étant accompagné de quelqu'un qui lui permettra de diluer l'intensité de cet épisode (un thérapeute ou une personne significative qui saura l'aider à dédramatiser, en exprimant et en analysant le ressenti de son expérience). D'autres auront tendance à jouer avec le *volume*, le poussant au maximum jusqu'à s'étourdir de cette cacophonie ; d'autres encore changent de poste, pour une émission plus légère et divertissante, ce qui peut s'avérer temporairement bénéfique, mais ne change rien au fait qu'il faudra nécessairement régler le problème de façon approfondie. Il est encore possible d'actionner l'*aide* de la télécommande pour aller chercher du support auprès de personnes ressources qui savent comment opérer avec des programmes difficiles… Vous pouvez ainsi exploiter chacune des fonctions de l'appareil en demandant à l'adolescent à quel moment il tend à utiliser chacune d'elles, quels sont les résultats qu'il obtient, et s'il se sent suffisamment à l'aise pour utiliser les boutons *muet* ou *aide* lorsqu'il en a besoin.

Les boutons *reculer* et *enregistrer* peuvent également permettre de modifier certaines séquences, non pas en leur substituant de faux événements, mais en modifiant l'angle de la prise de vue : la scène difficile d'un conflit avec la mère par exemple, qui décoche une gifle au jeune ou lui adresse des paroles extrêmement dures, peut être revue par l'adolescent en enregistrant cette fois à quel point l'autre était démunie, à quel point elle avait atteint les limites de sa tolérance pour telle ou telle raison, à quel point il a lui-même contribué à déclencher cette fureur. Le fait d'accepter une part de responsabilité dans une pareille situation produit généralement une atténuation du sentiment de colère, d'hostilité, d'incompréhension ou d'injustice.

De la même façon qu'il a l'habitude de « zapper » quand un poste ne lui convient pas, le jeune a-t-il la capacité de changer de canal lorsqu'il traverse une déprime ou une période euphorique pour écouter une tonalité de sentiment plus positive ou réaliste ? Le changement rapide de canal se révèle d'ailleurs une excellente stratégie en période de crise : dans ces moments délicats, juste avant que la personne ne laisse éclater la crise, certains circuits neurologiques qui contiennent une forte charge d'adrénaline, de colère ou de tension, sont activés — et la font exploser. Il est possible de favoriser un changement de circuit, de solliciter un réseau neurologique générateur de calme, de paix ou de mieux-être. Il vous faut alors créer un ancrage qui permettra au jeune de changer de circuit au moment où il sent monter la crise. Il peut par exemple s'agir d'un événement du passé que vous doterez ensemble d'une résonance suffisante pour pouvoir court-circuiter la colère, comme dans le cas d'une rivalité entre les membres d'une fratrie qui atteint des proportions violentes (verbalement ou physiquement) : demandez au jeune de visualiser dans tous ses détails un moment privilégié avec ce frère ou cette sœur, de revivre ce qui était plaisant et agréable, en précisant ce qu'il avait apprécié le plus de l'autre dans cette situation extraordinaire. Travaillez cette image au point qu'elle lui soit facilement accessible lorsqu'il sent la crise poindre, qu'il puisse basculer du moment présent à ce souvenir en une fraction de seconde. Même s'il ne parvient pas à syntoniser ce nouveau poste de façon parfaite, même si les deux événements se superposent, le rappel du souvenir positif peut suffire à éviter l'explosion ou du moins à en atténuer la virulence. Dans le cas de conflits ou de relations difficiles avec une personne récemment apparue dans la vie du jeune, comme par exemple un nouveau professeur avec qui il n'a pas eu l'occasion de vivre des événements agréables, pratiquez plutôt une visualisation des conséquences négatives pour développer son ancrage anticrise : qu'est-ce que les autres vont dire ? De quoi je vais avoir l'air si je me laisse aller encore ? Quelles mesures pourront être prises contre moi par le professeur ? Par la direction ? Et quelles en seront les conséquences à la maison ? Il est évident qu'un ancrage qui s'appuie sur le renforcement négatif peut s'avérer moins performant que celui qui peut se développer par renforcement positif, mais il peut s'avérer néanmoins pertinent et utile dans ces situations où nul échange positif n'a pu avoir lieu. En fait, n'importe quel type d'ancrage pourra convenir, dans la mesure où l'adolescent réagit à l'image que vous créez ensemble et qu'il lui confère une certaine intensité et un réel retentissement.

La transition de l'école au monde des adultes[1]

Des chercheurs se sont intéressés récemment à une dimension généralement oubliée par le système d'éducation : comment préparer les élèves qui connaissent des problèmes d'apprentissage à relever avec succès les défis de l'âge adulte lorsqu'ils quittent l'école secondaire ? Depuis que les problèmes d'apprentissage ont été reconnus et identifiés, il y a environ 25 ans, les interventions des éducateurs spécialisés et des psychologues auprès des élèves en difficulté ont essentiellement visé la préparation scolaire. Or, les services d'éducation spécialisée existent depuis suffisamment longtemps pour que les chercheurs en arrivent à la conclusion que ces programmes atteignent actuellement les meilleurs résultats possibles, sans parvenir à apporter un support efficace à certains élèves.

• En effet, les élèves aux prises avec des difficultés d'apprentissage connaissent généralement des expériences professionnelles inadéquates : plus encore, 25 % d'entre eux ne reçoivent aucune information sur ce type de formation ni sur l'expérience du marché du travail.

• Ces élèves doivent plus souvent, dans une plus forte proportion que les autres, trouver un emploi par leurs propres moyens : les bureaux de placement scolaires ou professionnels n'accordent que bien peu de support à cette clientèle particulière.

• Dans les 5 ans qui suivent leur sortie du cours secondaire, relativement peu d'entre eux fréquentent des programmes de 2 ans (12 %) ou de 4 ans (4 %) dans un collège technique et seuls 16 % suivent une formation professionnelle.

• Les élèves en difficulté d'apprentissage s'avèrent en général moins compétents que leurs pairs lorsqu'il s'agit d'utiliser les ressources de la communauté et de gérer divers aspects de leurs vies.

En conséquence, la planification du processus de transition chez ces élèves au cheminement particulier doit donc être polyvalente et dépasser le strict cadre des activités scolaires pour inclure et développer les principaux aspects du fonctionnement adulte : préparation à l'emploi et entrée sur le marché du travail, formation continue, vie quotidienne, santé, loisirs, communication, habiletés interpersonnelles, autodétermination et participation à la collectivité.

Les différents aspects du fonctionnement de l'individu à l'extérieur du cadre du travail ne peuvent être tenus pour acquis : par exemple, les habiletés à vivre de façon équilibrée au quotidien ou celles qui permettent d'évoluer adéquatement dans la collectivité exigent également des compétences qui doivent être identifiées et intégrées à la formation de l'élève. La « préparation à la vie » plutôt que la préparation au marché du travail permet de considérer les éléments dont les élèves ont besoin pour développer avec succès leur fonctionnement d'adultes. Essentiellement, les chercheurs présument que si les jeunes acquièrent ces diverses connaissances et habiletés, s'ils ont accès à de l'information sur les services ou les organismes de support, ils seront plus à même de négocier efficacement avec les exigences de l'âge adulte et leur vie sera fort probablement beaucoup plus riche et satisfaisante.

---

[1] Ginger Blalock et James R. Patton, « Transition and Students with Learning Disabilities: Creating Sound Futures », *Journal of Learning Disabilities,* 29, 1, janvier 1996, p. 7-16.

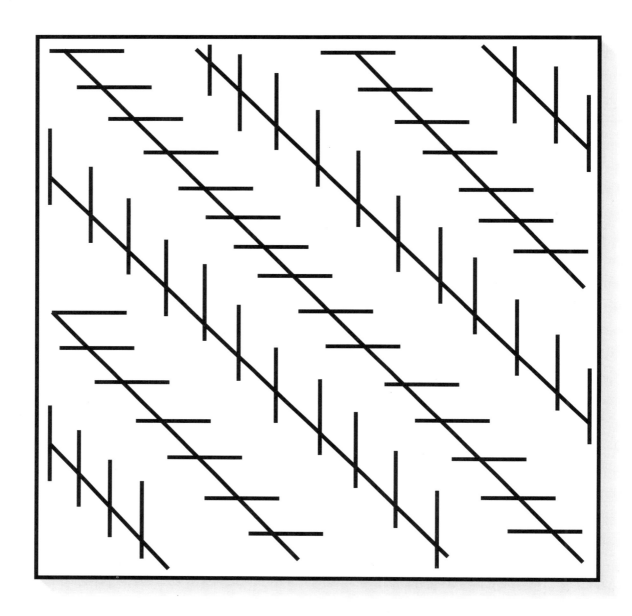

20. Parallèles

Pour aider l'adolescent à reconnaître que les opinions des autres peuvent altérer sa propre pensée et lui donner une fausse représentation de la réalité.

1. Demander à l'adolescent de décrire l'illustration à sa façon.

2. Mettre en évidence la métaphore à exploiter.

▶ Demandez au jeune s'il croit que les lignes les plus longues dans ce carré sont parallèles. Si oui, y en a-t-il plus de deux qui soient parallèles ? Il répondra probablement par la négative. Si nécessaire, vous pourrez lui démontrer avec une règle qu'elles sont bel et bien toutes parallèles, mais que les traits qui s'y superposent nous empêchent d'évaluer correctement l'ensemble.

3. Relier la métaphore à un problème auquel est confronté l'adolescent.

Il arrive souvent que notre perception d'une personne soit biaisée par les commentaires et les impressions de ceux qui nous entourent. L'adolescent est-il sensible à ce genre d'influence ? Lorsqu'il songe par exemple à son père, sa mère, son frère ou sa sœur, à tel ami, tel professeur, telle connaissance, que lui vient-il à l'esprit ? S'agit-il là de son avis *personnel* sur cette personne ? Ne peut-il attribuer à quelqu'un d'autre certaines de ses opinions ? Qu'obtiendrait-il s'il prélevait de son idée sur une personne tout ce qui lui a été transmis par quelqu'un d'autre ? Est-ce que cela changerait son attitude envers elle ? Si le jeune a de la difficulté à admettre que l'avis des autres puisse l'influencer, demandez-lui de vous parler d'une personne qu'il ne connaissait que par ouï-dire avant de la rencontrer : comment les commentaires qu'il avait reçus à son sujet ont-ils modifié son propre comportement ou son interprétation des faits et gestes de cette personne ?

En cette période d'importantes transformations physiques et psychologiques, l'adolescent éprouve parfois des difficultés à se fixer une image de soi qui soit stable et dans laquelle il puisse se retrouver ; il se révèle alors particulièrement sensible aux commentaires des autres qui altèrent souvent le regard qu'il porte sur lui-même. Quelles perceptions reçoit-il de la part des autres, sur sa façon d'être actuelle et sur ce qu'il devrait être, idéalement ? Comment modifient-elles sa propre opinion de lui-même (que l'on pourrait comparer aux lignes droites parallèles de l'illustration) ? Que faudrait-il ajouter ou enlever pour arriver à une définition plus juste et réaliste de sa personnalité ?

Il pourra être judicieux de laisser l'illustration à l'adolescent en lui demandant de faire l'exercice d'effacer les traits qui troublent la perspective réelle de « ses » parallèles, en lui demandant par exemple, qu'est-ce qui appartient à sa mère ? à son père ? aux frères et sœurs ? à sa famille élargie ? à ses amis ? à ses professeurs ? aux adultes qui interviennent avec lui dans ses activités parascolaires (sport, musique, dessin, théâtre) ? Le but n'est pas d'éviter toute influence de la part des autres, mais de le rendre conscient de sa perméabilité et de l'inciter à choisir lui-même d'adopter l'une ou l'autre de ces façons de voir.

La métaphore pourra en outre être utilisée de manière prospective, afin d'atténuer des appréhensions à l'égard de l'avenir qui n'appartiennent pas au jeune. Quelles sont les peurs qui lui ont été transmises, par son père ou sa mère, par une personne significative de son entourage, ou encore par des reportages ou émissions télévisées ?

À l'égard de certaines matières plus ardues ou enseignées par des professeurs moins appréciés des élèves, quelles sont les interférences qui modifient ses impressions personnelles ? Que pensent son meilleur ami, son frère ou sa sœur aîné(e), son père ou sa mère de tel enseignant ou de telle discipline ? S'il faisait abstraction de ces commentaires, est-ce que cela modifierait son attitude en classe ?

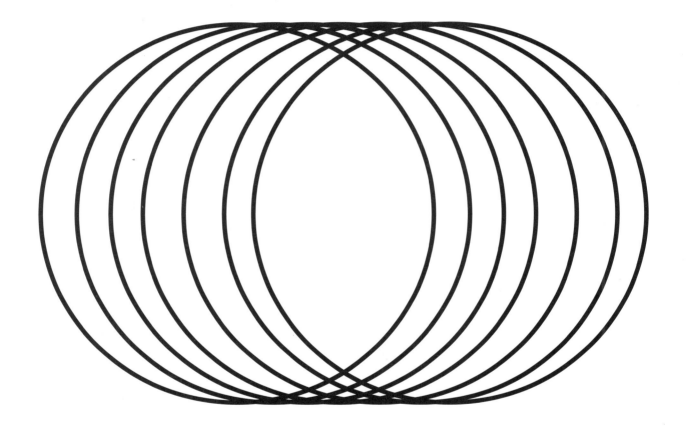

21. Cercles

1. Demander à l'adolescent de décrire l'illustration à sa façon.

Pour aider l'adolescent à concevoir l'ensemble d'une réalité, au-delà de son impression première ou de son intérêt immédiat.

2. Mettre en évidence la métaphore à exploiter.

▶ Demandez à l'adolescent s'il a l'impression que l'extrémité avant du cylindre se situe à gauche ou à droite. Assurez-vous, avant de poursuivre l'exercice, que le jeune a bien vu les deux possibilités d'ouverture. Vous pouvez également insister sur le fait que les deux points de vue sont diamétralement opposés.

3. Relier la métaphore à un problème auquel est confronté l'adolescent.

Spontanément, notre esprit ne conçoit qu'un aspect des choses et l'on doit faire un effort pour considérer l'ensemble d'une réalité et toutes les possibilités qu'elle recèle, quel que soit le domaine d'application (dans nos relations interpersonnelles, à l'égard de l'avenir, à l'école, etc.). Utilisez la métaphore pour faire prendre conscience à l'adolescent que, parfois, bien qu'il croie qu'il n'y a qu'une seule solution à son problème, une seule porte de sortie, d'autres voies de résolution sont néanmoins possibles, qu'il ne voit pas parce qu'il ne prend pas suffisamment le temps d'analyser la situation ou qu'il n'ose pas penser autrement.

Par exemple, un jeune issu d'une famille qui dispose de peu de ressources financières ne peut partir en voyage ou en colonie de vacances, n'est pas aussi privilégié que ceux qui ont accès à des activités onéreuses (planche à neige, ski alpin, équitation, etc.) et n'a pas les moyens d'acheter des vêtements à la mode. Il aura sans doute l'impression d'être défavorisé, de partir perdant, de ne pas pouvoir découvrir autant de choses que les autres. Or, il n'y a pas qu'une seule façon de voir les choses : on peut bien sûr considérer, dans notre société capitaliste où chaque individu est d'abord perçu comme un consommateur, que ce jeune est moins choyé que les autres et qu'il ne vaut pas grand-chose (puisqu'il a peu de moyens). Sur le plan humain, toutefois, une telle condition l'a amené à connaître le sacrifice et la valeur des choses, il a sans doute développé une plus grande profondeur dans son analyse des gens et des événements, et il éprouve probablement un véritable respect envers ceux qui doivent travailler dur pour assurer la survie de leur famille, pour ceux dont la dignité n'est pas liée à la valeur de ce qu'ils possèdent.

Les adolescents s'insurgent fréquemment contre les règles qui régissent la société, la famille ou l'école, car ils ne comprennent pas pourquoi leur liberté devrait être soumise à des principes aussi stricts et être limitée par des règlements qui leur semblent inutiles. Évidemment, l'absurdité première de certaines règles, voire leur injustice, fait souvent perdre de vue qu'elles ont une fonction : assurer la vie harmonieuse de la collectivité, parfois au détriment des individus. Les lois et les règles existent ainsi pour protéger à la fois les droits de la majorité et les droits des individus, qui sont un peu comme les deux extrémités du cylindre : elles font partie du même objet mais elles sont complètement opposées l'une à l'autre. Dans votre discussion avec le jeune, vous aurez ainsi à faire ressortir qu'il aperçoit le plus spontanément l'extrémité qui le concerne directement, lui et sa vie d'adolescent, ce qu'il vit et ce qu'il ressent, et qu'il doit donc faire un effort de réflexion pour voir l'autre extrémité, son entourage immédiat, son milieu scolaire, la société à laquelle il appartient, qui font également partie de sa réalité.

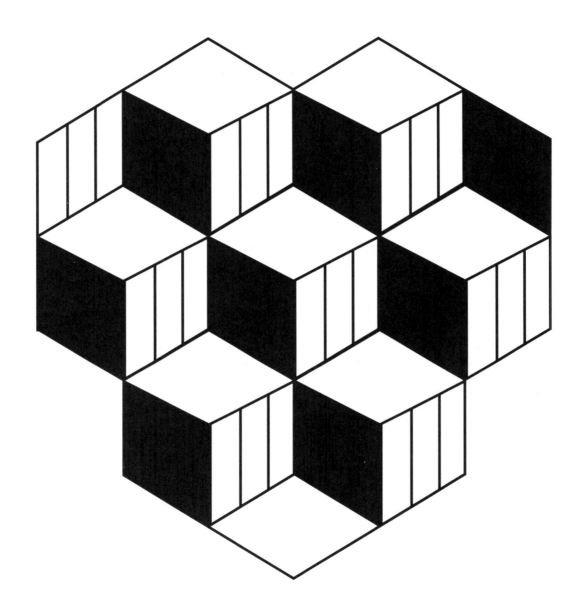

22. Cubes

1. Demander à l'adolescent de décrire l'illustration à sa façon.

Pour aider l'adolescent à comprendre qu'il est parfois nécessaire et salutaire de s'obliger à voir simultanément l'envers autant que l'endroit des choses.

2. Mettre en évidence la métaphore à exploiter.

▶ Demandez à l'adolescent de compter le nombre de cubes que contient l'illustration : dans un premier temps, il peut en voir 6 ou 7, selon qu'il considère que la rangée supérieure de l'image contient 2 ou 3 cubes (soit les 2 losanges blancs du haut de l'image constituent les faces supérieures de 2 cubes, soit ils n'en font pas partie : dans ce dernier cas, on ne voit alors que les faces du dessous et des côtés des cubes, qui forment une pyramide inversée). Quelle que soit la première lecture de l'image par le jeune, prenez le temps de lui faire voir les deux possibilités, en faisant ressortir que ce que l'on voit au premier abord ne constitue pas nécessairement toute la réalité : il y a différents angles d'observation d'un objet et l'on doit faire preuve de prudence avant de conclure un jugement sur une personne, un événement, un comportement ou une chose.

3. Relier la métaphore à un problème auquel est confronté l'adolescent.

L'adolescent qui vit sa première rupture amoureuse peut être déstabilisé au point de traverser une période de dépression, voire d'envisager le suicide. La métaphore vous permettra de discuter avec lui de sa première perception de cette déchirure : a-t-il l'impression qu'il ne trouvera plus jamais personne d'autre ? Qu'il ne pourra plus jamais aimer aussi fort et intensément ? Croit-il que personne d'autre ne voudra de lui ? Qu'il n'est pas « assez » ceci ou cela pour que quelqu'un l'aime ? Faites-lui préciser le plus possible les détails de ce qu'il ressent et de ce qu'il conclut de cette expérience. Par la suite, demandez-lui de tenter de changer sa perspective de la situation : comme dans l'exercice des cubes, cela pourra prendre du temps et des efforts de concentration pour modifier son angle de vue et considérer ce qu'il a découvert et acquis plutôt que ce qu'il a perdu. Aidez-le à opérer ce revirement en lui demandant ce qu'il retient de positif de cette relation amoureuse : qu'a-t-il appris sur lui-même ? Sur la relation à deux ? Sur l'autre ? Que conservera-t-il comme souvenir heureux de cette histoire d'amour ? De quelles expériences s'est-il enrichi ? Qu'a-t-il démystifié (premiers attouchements ; relation sexuelle ; découverte du plaisir de l'autre ; première visite chez les parents de l'autre et introduction à sa vie de famille ; prise de conscience de son sentiment de dépendance affective ou de sa volonté d'autonomie et d'indépendance) ?

Le jeune qui consomme de la drogue demeure le plus souvent totalement fermé à la considération des effets nocifs de cette habitude. Il lui est bien entendu possible de répéter le discours des adultes ou de reproduire mécaniquement le texte des dépliants d'information sur le sujet, mais pour parvenir à entrevoir et considérer vraiment toutes les conséquences de la toxicomanie dans son cas particulier, à partir de ses propres perceptions, il lui faut fournir un véritable effort. Ici encore, comme dans l'exercice des cubes, il faut du temps et de la concentration pour pouvoir tenir compte de toutes les implications de son comportement, celles qui apparaissent au premier regard (soit tous les aspects qui lui semblent « positifs » : de nouvelles perceptions et un contact plus intense avec la réalité ou au contraire, selon le type de drogue consommé, une insensibilisation qui le coupe de la réalité et le protège contre elle) et celles qui se dégagent à moyen et long terme (soit les aspects qui détruisent son organisme, qui brouillent sa conscience du monde qui l'entoure, qui atténuent sa présence et son investissement auprès de ceux qui l'aiment et ne parviennent plus à le rejoindre, les conséquences financières et intellectuelles, etc.).

23. Sac-poubelle

1. Demander à l'adolescent de décrire l'illustration à sa façon.

Pour aider l'adolescent à mesurer l'impact que peut avoir une incertitude ou une insécurité qu'il ne cherche pas à clarifier ou à vérifier.

2. Mettre en évidence la métaphore à exploiter.

▸ Interrogez l'adolescent sur le contenu probable de ce sac : s'agit-il d'objets utiles temporairement entreposés ? de vêtements à donner ? ou plutôt de déchets alimentaires en décomposition ?

▸ Les sacs-poubelles dégagent des odeurs qui attirent les insectes et les animaux nuisibles comme les rongeurs ; c'est pourquoi on ne les conserve pas dans la maison, mais on les dépose dans un bac spécial ou un compartiment à l'extérieur en attendant que la municipalité recueille les ordures et les envoie au dépotoir.

3. Relier la métaphore à un problème auquel est confronté l'adolescent.

Parmi les problèmes qui soulèvent beaucoup d'anxiété chez les jeunes, il y a ceux qui résultent des transformations physiques et sexuelles : la honte d'avoir l'air ignorant s'il pose des questions ou la hantise d'être considéré comme « anormal » devient peu à peu omniprésente et contamine sa spontanéité et son aisance auprès des autres. Le malaise peut par ailleurs provenir d'expériences homosexuelles somme toute courantes à l'époque de la découverte de sa sexualité, au moment où il semble plus simple d'explorer un corps semblable au sien, qui fonctionne de la même manière. Le jeune peut éprouver de la gêne lorsque lui viennent des questions à la suite de ses expériences ou lorsqu'il sent le besoin de vérifier la nature de certaines impressions, de certaines émotions ou encore de son orientation sexuelle. Si vous sentez un tel malaise chez l'adolescent auprès duquel vous intervenez, qu'il soit aux prises avec les angoisses de son développement ou qu'il s'interroge sur ce qu'il a vécu, utilisez la métaphore pour lui demander s'il garde en lui des choses avec lesquelles il n'est pas à l'aise, qui contaminent peu à peu le reste de sa vie et qui attirent des idées nuisibles. Expliquez-lui que vous pouvez l'aider à disposer plus adéquatement de ce qui le gêne et dont les odeurs deviennent perceptibles par les autres. Cette discussion métaphorique l'incitera davantage à se confier à vous et vous pourrez ainsi lui fournir les explications dont il a besoin pour mieux comprendre son évolution.

La métaphore permet d'aborder des sujets d'insécurité de toutes natures, qu'il s'agisse du regard que l'adolescent porte sur lui-même ou sur sa famille comme de craintes existentielles, de peurs inspirées par des expériences négatives, etc. Vous devrez sans doute prendre le temps de faire réaliser au jeune que tout le monde produit des déchets en quantité plus ou moins importante, notamment au cours de l'adolescence où l'on expérimente tant de nouvelles choses et où l'on se pose tellement de questions. Dédramatisez la situation ou atténuez l'ampleur de l'inquiétude chez l'adolescent en lui assurant qu'il est impossible de ne pas générer de rebuts et que, ce qui importe vraiment, c'est de savoir comment s'en débarrasser sans nuire à personne ni à soi-même.

Amorcez tout d'abord la discussion en l'aidant à décrire l'aspect et le poids de son malaise à l'aide de la métaphore : y a-t-il longtemps que le sac est fermé ? Ce qu'il contient a-t-il un impact sur tous les départements de sa vie (sexualité, relations avec les parents, aspect financier, école, etc.) ? A-t-il l'impression que ce qu'il a enfoui dans le sac le dérange davantage qu'avant ? Qu'est-ce que cela provoque comme réaction de la part des autres ? Est-ce que la présence du sac a modifié ses propres habitudes ou sa façon de faire les choses ? Si les déchets demeurent là où ils sont et s'il ne fait pas d'effort pour s'en débarrasser, quelles en seront les conséquences ? Est-ce vraiment là ce qu'il veut ? Quelle solution entrevoit-il ? Une issue radicale comme le suicide ? Un remède aussi efficace qu'un détour au dépotoir, en allant déposer le sac dans un endroit où l'on sait quoi en faire (en consultation) ?

24. Transformations

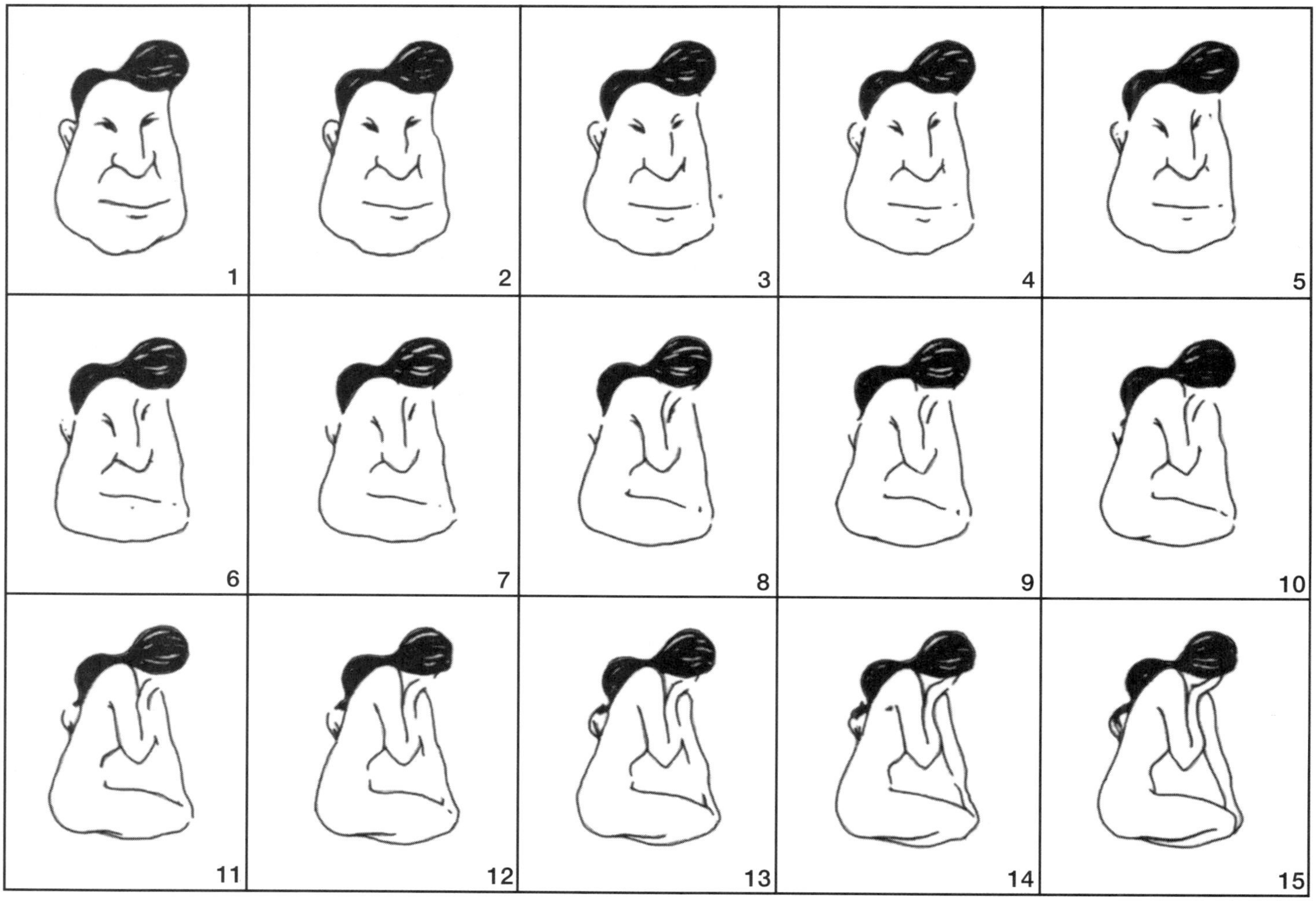

24. Transformations

1. Demander à l'adolescent de décrire l'illustration à sa façon.

Pour aider l'adolescent à s'évaluer de façon plus réaliste en replaçant ce qu'il vit actuellement dans le contexte d'une période de transition et de changement.

2. Mettre en évidence la métaphore à exploiter.

▸ Demandez à l'adolescent de vous décrire ce qu'il voit dans la première image et dans la dernière puis de vous dire à partir de quelle vignette (elles sont numérotées de 1 à 15) le visage représenté « tourne » et devient deux corps enlacés. La modification des éléments de l'image est pratiquement imperceptible et il s'avérera sans doute difficile de localiser vraiment ses étapes transitoires.

3. Relier la métaphore à un problème auquel est confronté l'adolescent.

Le jeune qui doit s'adapter à une ou deux nouvelle(s) famille(s), après le divorce de ses parents, entre dans un processus à long terme que cette illustration permet de représenter. Demandez-lui de se situer dans les phases de son cheminement, d'un état initial (visage) à un nouvel état (couple), et de décrire ses sentiments premiers envers le nouveau partenaire de son parent et/ou les « frères » et « sœurs » d'alliance : si la situation est encore toute récente, l'hostilité et la colère ressenties lui paraissent sans doute assez intenses pour pouvoir être éternelles… Demandez-lui si son attitude actuelle est de masquer toutes les autres vignettes, sauf la première, et de refuser d'y modifier quoi que ce soit, en se dérobant à tout dialogue avec l'autre, en l'ignorant consciemment, en se retirant lorsqu'il entre dans la pièce ou en posant des conditions qui l'excluent toujours : « je vais y aller avec toi si *il* ou *elle* ne vient pas ». Dans ces conditions, le cheminement demeure complètement bloqué et risque même d'atténuer la qualité de la relation avec le parent, ce que le jeune ne perçoit pas toujours. Toutefois, vous pouvez lui montrer qu'au fur et à mesure qu'il entre en contact avec l'autre et apprend à le connaître, il recueille de nouvelles informations sur lui, qui agissent comme les infimes éléments qui modifient l'image : son sentiment initial évoluera nécessairement et se transformera pour créer une relation différente. Évidemment, ce processus se déroule sur une période relativement longue, et il doit se laisser le temps — ainsi qu'à l'autre — de passer par les étapes transitoires du rapprochement graduel et de la découverte mutuelle (soit plusieurs semaines, peut-être même plusieurs mois). Le même principe est valable dans toute nouvelle relation ainsi que pour celle faisant l'objet de conflits.

L'adolescent vit lui-même un processus d'évolution qui le mènera à un nouvel état d'être. Selon la période qu'il traverse (début ou fin de l'adolescence), il se voit à l'une ou l'autre des étapes de transformation illustrées. Vous pourrez alléger son malaise devant la nouvelle personne qu'il devient en lui faisant voir que, même s'il se sent inconfortable actuellement, cela ne signifie pas qu'il en sera ainsi lorsqu'il parviendra au terme de son cheminement. La métaphore s'avérera particulièrement utile auprès des jeunes qui vivent un développement physique précoce ou tardif, qui se sentent vraiment différents de l'ensemble du groupe qu'ils côtoient : en l'amenant à « chiffrer » le parcours évolutif des autres (n° 9 ou 10) comme le sien (n° 3), vous l'aiderez à s'évaluer de façon plus réaliste et à mieux accepter le fait qu'il vit une étape de transition un peu différente par rapport aux autres, mais néanmoins normale.

Le cheminement peut également dépasser le niveau physique de sa personne et porter plutôt sur la connaissance de soi. Lorsque l'adolescent critique ses faiblesses (« je ne suis pas intelligent », « je suis moins... que... »), vous pouvez l'amener à comprendre tout d'abord qu'il traverse une période de changement et que c'est lui-même qui décide des éléments à ajouter ou à retrancher de sa propre image : par ses actions et ses réactions actuelles, il prépare maintenant l'adulte qu'il sera demain. Abordez la discussion en lui demandant s'il croit être une victime passive de la vie ou s'il pense plutôt qu'il peut agir sur lui-même et renforcer certaines attitudes et talents (devenir plus courageux, plus persévérant, plus audacieux). En d'autres termes, faites-lui reconnaître que, tout comme l'illustration, il peut cheminer vers une image différente en ajoutant constamment de nouvelles informations positives sur lui-même, grâce à ses efforts et à sa détermination.

25. Javellisant

Pour aider l'adolescent à accepter les émotions qu'il ressent et à réaliser qu'il lui est possible d'agir sur leur intensité et d'utiliser de façon constructive le potentiel d'énergie qu'elles détiennent.

1. Demander à l'adolescent de décrire l'illustration à sa façon.

2. Mettre en évidence la métaphore à exploiter.

▸ S'il ne le sait déjà, informez l'adolescent que l'utilisation d'un javellisant à l'état pur risque d'endommager le vêtement, de causer des brûlures sur la peau ou d'empoisonner la personne qui l'ingère, car il s'agit d'un produit toxique, tandis que lorsqu'il est dilué, il détient un pouvoir nettoyant plus efficace qu'un simple détersif et peut servir à purifier l'eau.

3. Relier la métaphore à un problème auquel est confronté l'adolescent.

Certaines émotions ressemblent singulièrement aux substances javellisantes : la colère, par exemple, est toujours toxique, néfaste, et détient le pouvoir de brûler et de détruire lorsqu'elle est à l'état pur. Il est possible, toutefois, de diluer son intensité avant de la manifester, soit en prenant du recul (physiquement, en s'éloignant ou en prenant de grandes respirations), soit en se laissant du temps pour réévaluer la situation, soit en discutant du problème avec d'autres personnes. La colère peut alors s'avérer utile et saine, car elle permet d'identifier les agents perturbateurs et fournit l'énergie pour enclencher les modifications nécessaires à notre mieux-être.

Toutes nos émotions s'avèrent ainsi diversement utiles ou nuisibles selon leur degré de « pureté » ou de dilution. Demandez à l'adolescent s'il a déjà ressenti l'effet destructeur d'émotions à l'état pur, comme la honte, la culpabilité, la rage, la jalousie, la haine, la peur : a-t-il expérimenté leur toxicité ? ressenti en lui leurs effets brûlants ? constaté à quel point elles détruisent l'estime de soi, le sentiment de confiance en la vie, d'assurance lorsque vient le temps d'aller vers les autres ou de relever les défis qui se présentent ? Qu'a-t-il fait de ses sentiments à l'époque ? A-t-il simplement laissé l'émotion prendre toute la place et l'enflammer, en explosant brusquement pour tenter de s'en débarrasser ? L'a-t-il conservée pure et intacte à l'intérieur de lui au point d'en avoir encore aujourd'hui des séquelles ? Qu'aurait-il pu faire de plus efficace ? Guidez l'adolescent dans sa recherche de stratégies et, si nécessaire, indiquez-lui que le fait d'en parler, de se confier auprès de personnes adultes en qui il a confiance contribue à diluer l'aspect corrosif de l'émotion et permet même de bénéficier de son aspect positif, de s'appuyer sur elle pour construire et avancer.

26. Tirelires

Pour aider l'adolescent à comprendre le principe de proportionnalité des efforts et des résultats, dans tous les aspects de sa vie.

1. Demander à l'adolescent de décrire l'illustration à sa façon.

2. Mettre en évidence la métaphore à exploiter.

   ▶ Faites ressortir simplement que le fait de déposer de l'argent dans une tirelire plus fréquemment que dans les autres l'« enrichit » plus rapidement, tandis que celles qui ne bénéficient d'aucun dépôt ne « profitent » évidemment pas.

3. Relier la métaphore à un problème auquel est confronté l'adolescent.

Comparez l'investissement de temps et de travail que le jeune consent à sa banque scolaire avec celui qu'il effectue plus spontanément dans les autres tirelires de sa vie, soit auprès de ses amis, devant la télévision ou les jeux vidéo, à faire du *skate* ou de la planche à neige, etc. Selon la réponse de l'adolescent, vous pourrez lui montrer clairement que le peu d'énergie investi en mathématiques ne peut produire de résultats mirobolants ; s'il consacrait autant de temps à cette matière qu'à s'exercer aux jeux vidéo, il améliorerait là aussi ses performances, son aisance, voire sa détermination à progresser et deviendrait dans ce domaine aussi sûr de lui que lorsqu'il se retrouve avec sa manette Nintendo. Demandez à l'adolescent de relier chacune des tirelires de l'illustration à l'un des aspects de sa vie (famille, ami, école, instrument de musique, sport, lecture, jeux vidéo, etc.) puis de leur attribuer un chiffre de 0 à 10 représentant ce qu'il y investit. Y aurait-il lieu de revoir sa façon de répartir son énergie ? Quel type d'investissement s'avérerait plus rentable à moyen et à long terme ? Amenez-le à réaliser que l'aisance, la satisfaction et le plaisir ressentis dans chacun des domaines de sa vie sont directement proportionnels au temps et à l'attention qu'il leur consacre.

Il est possible de remplir une tirelire avec d'autre chose que de l'argent, d'y investir de façon négative, en y mettant de vieux papiers ou des jetons de jeux, par exemple : l'impression d'accumuler rapidement est toutefois démentie par le fait que l'on doive ensuite trier entre les bons et les mauvais éléments — en se rendant compte que l'on est moins riche qu'on ne le croyait. Il en va de même dans les relations du jeune avec ses parents, sa fratrie ou ses amis, dont la qualité est proportionnelle à l'attention qu'il leur accorde. L'adolescent aura peut-être envie de vous répondre que l'autre dépose aussi des objets inutiles et des déchets dans la tirelire de leur relation. Vous devrez alors lui faire voir que la satisfaction qui se dégage d'une amitié ou d'une affection saine et authentique provient en grande partie de ce qu'il y investit, *lui*, et non de ce que l'autre y met. En effet, les gestes qu'il fait pour l'autre, les attentions et le respect qu'il lui adresse sont des dimensions de la relation sur lesquelles il détient le contrôle ; en outre, s'il persiste à investir de bons éléments dans cette amitié, il se rendra compte que l'autre modifie son attitude et devient lui aussi plus respectueux et attentif. Interrogez l'adolescent sur ses expériences de réciprocité positive et négative : a-t-il connu des amitiés qui se sont terminées lorsqu'il a commencé à être négligent envers l'autre ? Comment l'autre a-t-il réagi à cela ? A-t-il pris ses distances ? cessé de lui téléphoner ou de prendre sa défense lorsqu'il était l'objet de moquerie ? Et, au contraire, se souvient-il d'avoir provoqué un geste d'ouverture et de sympathie chez quelqu'un, après s'être lui-même montré ouvert et accueillant pour lui ? d'avoir reçu après avoir donné gratuitement et sans arrière-pensée ?

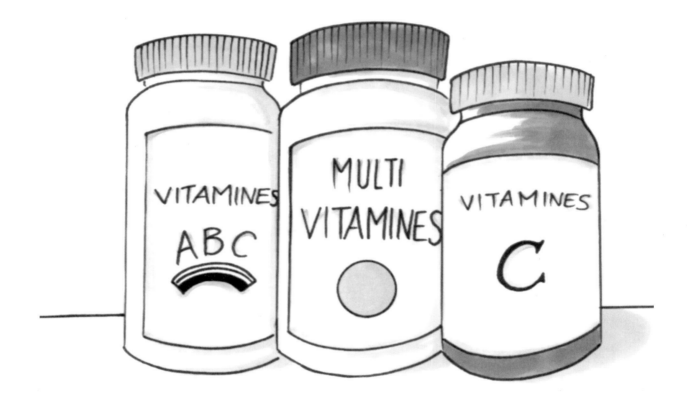

27. Vitamines

1. Demander à l'adolescent de décrire l'illustration à sa façon.

2. Mettre en évidence la métaphore à exploiter.

Pour aider l'adolescent à développer son sentiment de responsabilité par rapport à lui-même et aux autres, en identifiant des sources de support et d'énergie qui permettent de mieux équilibrer sa vie ou de soutenir adéquatement ceux qu'il aime.

▸ Les suppléments vitaminiques viennent compenser les carences d'une alimentation peu équilibrée en assurant à l'organisme tout ce dont il a besoin pour parfaire sa croissance ou maintenir sa vitalité.

3. Relier la métaphore à un problème auquel est confronté l'adolescent.

Les gens peuvent être comme des vitamines les uns pour les autres, en s'apportant mutuellement du support lorsque le besoin se fait sentir. Demandez à l'adolescent s'il a déjà agi comme une vitamine pour une personne de sa connaissance. Dans les cas où le jeune s'investit de façon démesurée auprès d'un ami qui éprouve de graves problèmes, vous pouvez poursuivre la discussion en l'amenant à réfléchir sur le fait qu'une surdose de certaines vitamines risque d'intoxiquer l'organisme : en effet, certaines seront simplement éliminées, mais celles qui contiennent des minéraux, par exemple, peuvent causer des symptômes désagréables. Dans sa relation avec tel ami, croit-il qu'il dose adéquatement les vitamines qu'il lui donne ? Son ami est-il dépendant de lui ? Son ami peut-il s'appuyer sur ses propres ressources ou se repose-t-il de plus en plus sur les autres sans pouvoir régler son problème ? Est-ce qu'une aide professionnelle représenterait un support plus adéquat et équilibré, qui lui permettrait de développer plus efficacement sa confiance en lui, son assurance et ses compétences pour faire face à la situation actuelle ?

À l'adolescent qui éprouve des difficultés à se créer des contacts et qui, par conséquent, fuit ses pairs, vous pourrez expliquer que les amis sont les meilleures vitamines qui soient pour lutter contre une déprime plus ou moins persistante, mais aussi la dépression et le burnout. Il est donc important de passer par-dessus sa crainte pour établir des relations solides et stables. Vous devrez probablement démystifier ce que cela implique, en explorant avec lui les façons les plus efficaces d'inspirer et de nourrir une saine amitié, soit par le partage des idées et des émotions, par l'écoute de l'autre, par des activités communes, des remarques constructives, par le respect de l'autre et le fait de ne pas le juger, etc.

L'adolescence est une période où le jeune est soumis à de multiples exigences extérieures et intérieures : les attentes des autres (parents, amis, professeurs) sur les plans scolaire, musical, sportif ou social, les transformations physiques et psychologiques, qui modifient profondément ce qu'il connaît de lui-même, tout cela exerce une pression intense sur le jeune qui doit donc apprendre à aller puiser des suppléments vitaminiques pour mieux équilibrer sa vie. Parmi les vitamines qui soutiennent le moral, le fait de devenir soi-même son meilleur ami constitue l'une des plus grandes ressources : cesser de se critiquer sévèrement pour la moindre erreur, s'encourager en devenant un supporter de soi-même, souligner et célébrer par de petites récompenses ses bons coups, lorsqu'on a bien relevé un défi ou franchi une étape dans son développement, etc. Demandez à l'adolescent s'il consomme déjà quelques vitamines pour son bien-être et sa bonne humeur. Lesquelles ? Comment ? À quelle fréquence ? S'agit-il d'un dosage bien équilibré ?

De la même manière que l'on peut se procurer des vitamines en pharmacie, dans des boutiques spécialisées ou dans des épiceries, il est également possible de trouver des suppléments d'énergie et de vitalité dans plusieurs activités : dans le sport, la musique, la lecture, un passe-temps, auprès d'amis, etc. Amenez le jeune à faire l'inventaire de ses sources vitaminiques, de façon à ce qu'il puisse facilement aller puiser ailleurs lorsque l'une d'elles fait défaut.

28. Livre de recettes

28. Livre de recettes

1. Demander à l'adolescent de décrire l'illustration à sa façon.

Pour aider l'adolescent à évaluer la pertinence et la validité des modèles de comportement qu'il suit dans différents aspects de sa vie.

2. Mettre en évidence la métaphore à exploiter.

   ▶ Le principe du livre de recettes est relativement simple : si l'on suit les instructions en respectant les étapes indiquées, on obtient le mets ou le dessert souhaité ; si l'on déroge aux consignes, le résultat final peut être complètement différent de celui recherché.

3. Relier la métaphore à un problème auquel est confronté l'adolescent.

Consciemment ou non, chacun de nous traverse sa vie en se guidant sur son livre de recettes, dont certaines ont été inventées par d'autres et nous ont été transmises à différentes périodes de l'enfance et de l'adolescence, tandis que d'autres sont forgées par nécessité, lorsque le besoin s'en fait sentir, adaptées à notre propre façon de faire et d'être. S'il est normal de consulter et d'appliquer ces procédés, il importe toutefois de réviser régulièrement leur performance et leur pertinence. L'objectif de cette métaphore est donc d'évaluer si la recette reliée à certains de ses choix et comportements est toujours valable pour le jeune et de déterminer, dans le cas où elle a été acquise dans l'enfance, au moment où il n'avait que peu de ressources et de connaissances, qu'il n'avait pratiquement pas le choix de l'adopter, si elle doit être conservée intacte, bonifiée ou abandonnée.

L'adolescence est la période où l'individu s'oppose aux recettes toutes faites, surtout aux recettes d'adultes, notamment parentales, en s'appliquant à faire exactement l'inverse de ce qui lui avait été proposé. Les résultats sont souvent désastreux pour le jeune, qui ne voit pas comment il pourrait s'affirmer en prenant ses distances d'avec les modèles et façons de faire adultes tout en se donnant une chance de réussir sa vie. Il vaudra la peine de prendre le temps d'explorer avec l'adolescent les recettes les mieux adaptées à sa situation dans différents aspects de sa vie, en milieu scolaire, dans ses relations amoureuses, sa gestion du budget, etc., en identifiant pour chaque aspect qu'il ne veut pas reproduire, pourquoi il en est ainsi et comment développer un autre comportement, moins « parental », qui soit néanmoins gagnant pour lui.

Demandez au jeune si, dans certains aspects de sa vie, ses décisions et ses choix, il s'inspire d'une recette pour se guider. Pour se faire des amis, par exemple, qui lui a donné cette formule ? Quelle est-elle ? Attendre que les autres viennent vers lui ? Limiter ses relations à une seule personne ? Quels sont les résultats de cette méthode ? Sont-ils satisfaisants ou la recette devrait-elle être légèrement améliorée, par l'ajout d'ingrédients ou en modifiant les quantités ? Connaît-il des lieux où il pourrait trouver de nouveaux ingrédients ? Vous pourrez lui suggérer des lectures sur la communication (par exemple, l'excellent livre de Boisvert et Beaudry, 1979), sur l'estime de soi (Claes, 1983 ; Cloutier, 1982), sur les façons de se faire des amis (Pineault, 1990), etc.

Sur le plan scolaire, quelle recette utilise-t-il ? Laisser faire le temps, en espérant que les résultats s'améliorent d'eux-mêmes ? Se consacrer uniquement aux matières qui lui sont plus familières et dans lesquelles il éprouve plus de facilité en laissant de côté les disciplines qui sont plus exigeantes pour lui ? Ne pas chercher à en connaître plus que ce qui lui semble immédiatement utile ? Faites ensuite réfléchir l'adolescent sur ce qu'il croit être la recette idéale pour la réussite scolaire comme pour celle de sa vie en général, en articulant la discussion par choix de réponse : étudier beaucoup ou peu ? s'impliquer dans différentes activités ou demeurer en retrait ? sécher les cours ou être assidu ?

29. Salade

1. Demander à l'adolescent de décrire l'illustration à sa façon.

2. Mettre en évidence la métaphore à exploiter.

Pour aider l'adolescent à devenir conscient du fait qu'il est responsable de la qualité de ses relations avec les autres et qu'il est en son pouvoir de modifier les pensées négatives qu'il entretient à l'égard de lui-même.

▸ Une salade composée d'aliments malsains ou non comestibles n'est pas attirante alors qu'au contraire une sélection de légumes et de condiments les meilleurs et les plus frais la rend très appétissante.

3. Relier la métaphore à un problème auquel est confronté l'adolescent.

Lorsque l'adolescent entre en relation avec l'autre, quels ingrédients apporte-t-il avec lui ? Une belle amitié se compare à une salade savoureuse, car elle comporte des commentaires affectueux, de l'entraide, du partage, des remarques constructives et positives, des échanges sur ce que l'on aime, ce que l'on n'aime pas, ce qui nous fait du bien et ce qui nous fait souffrir, bref, des attitudes qui permettent à l'autre de bien nous connaître et de savoir ainsi comment interagir avec nous. Au contraire, certaines relations ressemblent plutôt à une salade avariée ou mal préparée, car elle inclut des jugements rapides et négatifs, des paroles impatientes et agressives, des accusations sans fondement et des procès d'intention, etc. Guidez l'adolescent dans l'évaluation de la qualité de certaines de ses relations « obligées » auprès de ceux qu'il n'a pas le choix de côtoyer, comme un professeur, un directeur, un frère ou une sœur, un parent ou un beau-parent : à quel type de salade ces rapports appartiennent-ils ? Qui a déposé les ingrédients sains ? Quels sont-ils ? Quels ingrédients moins frais ou carrément indigestes y ont été ajoutés par le jeune lui-même ?

Nous composons par ailleurs mentalement des « salades » d'idées et de pensées qui peuvent être saines ou néfastes, selon les messages que l'on s'envoie à soi-même. Attirez l'attention de l'adolescent sur le type de pensées qu'il nourrit et qu'il laisse flotter dans son esprit : de façon subtile et insidieuse, les plus toxiques germent et poussent souvent sans qu'il ne s'en aperçoive vraiment. Par exemple, en voyant passer une personne qu'il estime être la perfection même, jette-t-il une poignée de cendre sur sa laitue, en se disant : « je ne serai jamais aussi bon, aussi à l'aise que lui », « personne ne m'aimera jamais, je suis trop quelconque », etc ? Peut-il identifier quelles circonstances favorisent l'apparition de telles pensées destructrices et lesquelles l'incitent à accorder des éléments sains et frais à son estime de soi ? Quels sont les effets de l'une et l'autre attitude ? Incitez-le à pratiquer l'auto-observation au cours des prochains jours, afin de déterminer la nature de ses pensées pour mieux pouvoir, par la suite, élaborer des stratégies qui pourront déraciner ces ingrédients malsains.

30. odeurs

1. Demander à l'adolescent de décrire l'illustration à sa façon.

2. Mettre en évidence la métaphore à exploiter.

> *Pour aider l'adolescent à prendre conscience des « odeurs » de son milieu amical ou familial qui imprègnent toute sa personne et l'amener à exercer son choix sur le « parfum » qu'il souhaite adopter.*

> ▶ Discutez avec l'adolescent du fait que certaines odeurs désagréables pénètrent plus rapidement que d'autres dans les vêtements et les cheveux, notamment les vapeurs de friture ou la fumée de cigarettes dans des endroits peu aérés. Dans ces cas, le temps d'exposition peut être bref, mais l'odeur peut s'accrocher avec ténacité bien longtemps après qu'on ai quitté les lieux.

3. Relier la métaphore à un problème auquel est confronté l'adolescent.

Que sentent tes amis ? Le travail acharné ? La délinquance ? La consommation d'alcool et de drogue ? La violation des lois ? Expliquez au jeune que les gens avec qui il se tient « déteignent » sur lui, même s'il a la volonté de les « sauver » et de les ramener dans le droit chemin : à brève échéance, il dégagera les mêmes odeurs qu'eux et, de la même manière qu'une serveuse de casse-croûte ne perçoit plus l'odeur de friture qui imprègne ses vêtements et ses cheveux, il en arrivera à ne plus sentir les émanations qu'il percevait pourtant très franchement au début de son introduction dans ce groupe d'amis.

Les parents fixent, parfois à leur insu mais de façon néanmoins profonde, l'horizon des espérances pour leurs enfants. Dans le cas de certaines familles, on se transmet ainsi le constat d'être « né pour un petit pain » depuis des générations, sans égard au potentiel réel ou virtuel des enfants : le destin familial colle à ses membres comme une odeur persistante et personne ne songe à le remettre en question. À l'inverse, d'autres milieux familiaux placeront la barre bien haute, exigeant de l'adolescent qu'il réalise ce que ses parents ont échoué à accomplir ou encore qu'il prenne le même chemin que le père ou la mère et *surpasse* son niveau d'excellence. Là encore, le jeune peut étouffer dans cette atmosphère lourde où il sent qu'il part perdant, pressentant qu'il ne pourra jamais répondre aux attentes qui lui pavent la route.

Dans l'un et l'autre cas, demandez au jeune ce qu'il perçoit de ce qu'il a reçu de sa famille : quelles sont les barrières et les limites qui ont été posées dans l'évocation de son avenir ? Quelles sont les possibilités qui sont envisagées et encouragées ? S'il avait été le fils ou la fille de tels parents (soit oncle et tante, parents d'amis, personnes qui sont pour lui des modèles de réussite ou de compréhension et d'épanouissement), envisagerait-il les choses de la même façon ? Jusqu'où croit-il qu'il irait dans la vie ? Le seul fait de semer ce genre de visualisation peut avoir pour effet d'ouvrir les horizons de l'adolescent, en l'amenant à percevoir que rien ne l'empêche de faire des projets plus audacieux, ambitieux ou foncièrement différents de ceux qu'on a prévu pour lui ou de ce qu'on attend de ses performances. Dans votre discussion, montrez-lui que sa volonté et sa détermination lui appartiennent en propre et qu'elles sont ses plus grandes forces. S'il n'est pas responsable des chances familiales qu'il a reçues, des pressions à la hausse ou à la baisse qui lui sont imposées, il demeure néanmoins le seul à pouvoir choisir ce qu'il voudra sentir à l'avenir, le seul à pouvoir faire en sorte que ce parfum lui corresponde vraiment.

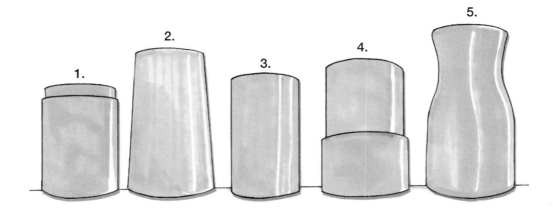

31. objet caché

1. Dites à l'adolescent qu'il y a une surprise sous l'un des verres et demandez-lui de découvrir sous quel verre elle se trouve.

2. Mettre en évidence la métaphore à exploiter.

Pour aider l'adolescent à faire preuve de prudence dans ses explorations de la sexualité, en comprenant l'importance de se protéger comme de protéger l'autre dans les rapports sexuels, et pour l'amener à dépasser le niveau des apparences dans ses relations avec les autres.

▶ L'adolescent conviendra qu'il est extrêmement difficile de la découvrir à moins de soulever un à un les verres ; il est donc possible qu'il ne parvienne à la trouver qu'après avoir épuisé toutes les éventualités. (Dans ce cas-ci, disons que la surprise se trouve sous le deuxième verre.)

3. Relier la métaphore à un problème auquel est confronté l'adolescent.

Imagine que ces verres représentent des partenaires amoureux potentiels dont l'un est atteint d'une maladie transmissible sexuellement. Il n'y a aucune façon de découvrir, en se basant sur des signes extérieurs, lequel d'entre eux est atteint (il ne le sait peut-être pas lui-même). Demandez à l'adolescent comment il pourrait s'assurer d'avoir des relations sécurisées avec l'un ou l'autre. Il devrait pouvoir répondre qu'il est possible d'aller vérifier sous le verre, en passant des tests de dépistage et en attendant de recevoir les résultats avant d'avoir une relation (cette attitude demeure toutefois rare chez les jeunes), ou encore en utilisant un condom, qui le protégera des « surprises » que pourrait receler son partenaire. Vous pouvez rendre la métaphore encore plus concrète en utilisant des contenants scellés, tous identiques, dont certains seront remplis d'eau pure et d'autres, d'eau polluée ; le fait de soulever le mauvais couvercle et d'y trouver un mélange dégoûtant produit habituellement des résultats très convaincants.

Une personne peut parfois sembler, vue de l'extérieur, extrêmement banale, sans originalité qui la distingue des autres ; toutefois, lorsque l'on se donne la peine de voir ce qu'elle est intérieurement, en prenant le temps de l'interroger, de partager des activités ou des discussions, on découvre quelqu'un de tout à fait intéressant dont l'amitié nous sera précieuse. Réfléchissez avec l'adolescent à ses premiers réflexes lorsqu'il entre en contact avec d'autres : se limite-t-il à l'apparence extérieure pour décider de nouer ou non une relation avec quelqu'un ? Dépasse-t-il le stade de la conversation libre mais sans conséquence ? Tente-t-il de connaître les perceptions de l'autre à l'égard de ce qu'il vit, des événements qui l'ont marqué, de ce qu'il aimerait faire, de ses projets, ses aptitudes, ses valeurs ? Y a-t-il des personnes auprès desquelles il a volontairement limité ses rapports, sur la base de critères extérieurs, sans les connaître vraiment ?

En outre, l'adolescent lui-même a-t-il tendance à dissimuler ce qu'il est sous une apparente banalité ? Quel message envoie-t-il aux autres par sa conduite, son maintien, son attitude générale face à la vie ? Aurait-il envie de soulever son verre, en s'affirmant, en prenant sa place auprès des autres, en exprimant ses opinions, en partageant ses projets, en faisant preuve d'initiative, en s'impliquant vraiment dans ce qu'il entreprend ? De même, à l'école, est-il sous-estimé de ses professeurs parce qu'il garde un profil bas et n'ose pas poser de questions ou émettre de commentaires pendant la classe ?

32. Pièces de casse-tête

1. Demander à l'adolescent de décrire l'illustration à sa façon.

2. Mettre en évidence la métaphore à exploiter.

Pour aider l'adolescent à accepter ses périodes d'indécision et de confusion et à comprendre que certaines expériences de vie ou états intérieurs ressemblent aux pièces d'un casse-tête qu'il faut assembler avant d'obtenir une vision claire de l'ensemble.

> ▸ Il est difficile d'anticiper le résultat final d'un casse-tête lorsque l'on en considère seulement les pièces détachées. Pour parvenir à assembler ces dernières correctement, il faut procéder par essais et erreurs, étape par étape, et prendre le temps de voir apparaître les grandes lignes et les détails du casse-tête.

3. Relier la métaphore à un problème auquel est confronté l'adolescent.

Les adolescents se sentent souvent « mélangés » lorsque trop d'options se présentent à eux ou que les opinions des autres produisent des interférences entre ce qu'ils désireraient faire ou être et ce qu'ils actualisent véritablement, qu'il s'agisse de la fréquentation des amis, des sorties, du cheminement scolaire, etc. Vous pouvez aider le jeune à comprendre que sa situation de confusion ressemble aux pièces d'un casse-tête qui n'est pas encore assemblé ou peut-être encore que certaines des pièces sont manquantes pour le moment, de sorte qu'il ne peut obtenir une représentation juste de ce qu'il veut ou ne veut pas devenir. Par exemple, le jeune connaît sans doute ses préférences dans plusieurs aspects de sa vie, il sait par ailleurs ce qu'il n'aime pas du tout, mais il n'a pas exploré encore tout ce qu'il lui est potentiellement possible de connaître sur lui-même puisqu'il n'a pas connu encore certaines expériences (« sortir » avec un amoureux ou une amoureuse ; voyager sans ses parents ; apprendre une nouvelle discipline qui lui est encore inconnue). Dans ce contexte, c'est comme si certains morceaux du casse-tête n'étaient pas encore apparus : il ne peut donc pas savoir maintenant quelles seront ses capacités et ses faiblesses dans ces domaines puisqu'il ne les a pas encore expérimentées. Rassurez l'adolescent sur le fait qu'il est tout à fait normal qu'il connaisse beaucoup d'indécision et d'insécurité, tant qu'il n'aura pas tenté plusieurs expériences qui formeront de nouvelles pièces et favoriseront graduellement une meilleure connaissance et confiance en lui-même.

Lorsque le jeune se sent « mélangé » au moment de faire un choix, l'indécision s'ajoute à la difficulté de la situation et il ne sait plus comment s'en sortir. Recommandez-lui tout d'abord d'examiner isolément les pièces du casse-tête une à une plutôt que de considérer leur étalement sur la table de jeu. Par exemple, s'il s'interroge sur sa volonté de continuer à fréquenter son amie, il peut tenir compte de plusieurs éléments de cette relation (il se sent physiquement très attiré par elle ; ses parents ne l'estiment pas beaucoup ; etc.). Vérifiez auprès de l'adolescent s'il ne fait pas abstraction de certaines pièces, comme l'opinion de ses parents ou de ses amis, ou les défauts de l'autre ou encore certaines qualités. Comment l'ensemble se précise-t-il lorsqu'il tente d'imbriquer les pièces dont il dispose ? Il est possible que le jeune ait l'impression d'avoir deux visions de son amie, qui ne concordent pas toujours et qu'en conséquence, il ne s'explique pas pourquoi elle agit ou réagit de telle ou telle manière ; il doit alors chercher à obtenir la pièce manquante, soit en interrogeant son amie directement, soit en parlant avec d'autres, soit en laissant à la relation le temps de vivre les expériences qui lui apporteront des réponses.

Toute perturbation devant laquelle l'adolescent se sent démuni peut être abordée par cette métaphore du casse-tête inachevé, en comparant les différentes émotions qui s'entrechoquent en lui à des morceaux fragmentés d'une image dont il n'a pas encore la vision globale. Aidez-le à identifier le morceau « déclencheur » de sa confusion ainsi que celui qui rassemble ses voix intérieures. En décomposant ainsi en plus petites pièces les constituantes de la situation actuelle, qui lui semble inextricable, il verra apparaître les grandes lignes du chemin qui l'a mené à ce point de confusion ; selon le cas, vous pourrez lui conseiller d'aller chercher une aide spécialisée pour assembler toutes les pièces et en dégager une signification.

33. Champs de mines

1. Demander à l'adolescent de décrire l'illustration à sa façon.

2. Mettre en évidence la métaphore à exploiter.

Pour aider l'adolescent à entrevoir comment ses relations avec les autres comme avec lui-même constituent parfois des terrains minés et lui faire prendre conscience des moyens d'éviter les explosions.

▸ Les champs de mines ont pour caractéristique d'être difficiles à détecter : ces territoires truffés d'explosifs sont des pièges tendus aux personnes qui sont susceptibles de les traverser et de marcher sur une mine. La victime en est toujours grièvement blessée, au point de devoir le plus souvent être amputée ou même de mourir à la suite de ses blessures.

3. Relier la métaphore à un problème auquel est confronté l'adolescent.

L'adolescent traverse-t-il parfois des terrains minés dans ses relations avec les autres (frère, sœur, ami ou professeur) ? Comment les perçoit-il ? Que fait-il lorsqu'il sent qu'il pénètre dans un tel territoire : cherche-t-il les mines pour déclencher leur explosion ? Se fait-il au contraire plus prudent, en prenant du recul, en se retirant de cette situation explosive ? Prépare-t-il, de son côté, des embuscades en disposant des mines sur le chemin de l'autre ? Le minage du territoire du professeur s'effectue par exemple lorsqu'il parle en classe, qu'il ne fait pas ses travaux, qu'il utilise un langage impoli, irrespectueux, voire injurieux pour s'adresser à lui. De la même manière, avec ses parents, s'il ne respecte pas les consignes, s'il commet des délits, s'il ment, se montre désobligeant, ne fait pas sa part des tâches domestiques, etc., il dépose des mines qui exploseront lorsque son père ou sa mère mettra le pied dessus, avec plus ou moins d'ampleur ou d'intensité selon la taille de l'erreur commise et la quantité de mines qu'il aura camouflées.

L'adolescent perfectionniste a tendance à miner lui-même son propre territoire ou à sauter volontairement sur des explosifs, se culpabilisant et se diminuant lui-même dès qu'il commet la moindre erreur, dès qu'il est moins performant que les autres, qu'il n'arrive pas à prendre autant de place que ses amis dans le groupe, etc. Faites-le parler des plus récentes occasions où il s'est imposé des interdictions ou de ses explosions de colère ou de frustration à la suite de ce qu'il considérait comme des échecs ou des manquements graves. Comment aurait-il pu éviter les mines ? Aidez-le à identifier des stratégies d'évitement du piège explosif (son erreur), en l'amenant par exemple à voir comment il lui serait possible de passer à côté de la mine plutôt que de se précipiter sur elle, en replaçant notamment l'événement dans son contexte (« je suis à l'adolescence et il est normal de faire des erreurs au cours de cette période d'apprentissage », « j'ai des faiblesses dans certains domaines, mais j'ai aussi de grandes forces dans d'autres »). Il peut aussi apprendre à se servir de ses mauvaises expériences pour arriver à détecter les autres mines cachées sur ce territoire (c'est-à-dire apprendre de ses erreurs).

34. Course à obstacles

1. Demander à l'adolescent de décrire l'illustration à sa façon.

2. Mettre en évidence la métaphore à exploiter.

Pour aider l'adolescent à concevoir la période qu'il traverse comme une course à obstacles, où chaque haie représente une étape qu'il doit franchir du mieux qu'il peut, mais en acceptant d'échouer et en gardant à l'esprit que c'est l'ensemble de sa performance qui comptera au fil d'arrivée.

   ▶ Une course à obstacles est un processus de longue haleine : elle ne s'interrompt pas lorsqu'un obstacle tombe, puisque ce sont des critères de temps et de performance qui déterminent le gagnant. Pour terminer parmi les premiers, le coureur doit évidemment être au maximum de sa forme, mais, surtout, il doit avoir la force morale de franchir les obstacles sans jamais se laisser ralentir lorsqu'il rate une haie.

3. Relier la métaphore à un problème auquel est confronté l'adolescent.

De la même manière, l'adolescence est une course à obstacles : l'athlète doit être en grande forme, physiquement et moralement, car cette période de la vie où l'on expérimente tant de choses est l'occasion de plusieurs erreurs qu'il faut savoir surmonter ; il faut oser se lancer dans la course et franchir chacun des obstacles qui se présentent, tout en acceptant de se tromper et de trébucher sur la haie ; il faut voir les choses en perspective, car d'autres obstacles attendent le coureur, qui doit poursuivre en tentant toujours d'améliorer sa performance. Cette métaphore peut servir de terrain de discussion pour explorer avec le jeune le parcours qu'il a effectué jusqu'à maintenant et prendre contact avec ce qu'il ressent à l'égard de son propre avenir. Croit-il avoir connu des échecs dans le passé ? Comment prévoit-il la course à venir ? Se considère-t-il en forme ? Aurait-il tendance à éviter les obstacles en contournant les barrières ? Comment voit-il son classement : devance-t-il les autres ou suit-il derrière eux ? Si l'adolescent doit affronter prochainement un obstacle ou un défi qui lui fait peur, allégez ses appréhensions et la pression qu'il s'impose en le présentant simplement comme une autre haie à franchir dans sa course. Comment y fera-t-il face ? Pense-t-il pouvoir la sauter allègrement ? Comment pourrait-il améliorer sa forme ?

Le jeune qui doit passer sa toute première entrevue d'emploi conçoit évidemment l'événement avec appréhension : vous pourrez le guider dans sa préparation en l'exerçant à cette situation, en lui conseillant de s'informer auprès des gens de son entourage sur les entrevues qu'ils ont passées (qu'elles soient ou non « victorieuses », afin de connaître, au moins indirectement, plusieurs types d'entretiens d'emploi), en le faisant s'interroger sur les besoins de l'employeur afin de pouvoir mieux y répondre, etc. Bref, proposez-lui ces étapes un peu comme un entraînement en vue d'une course où l'entrevue représente une haie à sauter.

Aidez l'adolescent à trouver des stratégies de coureur lorsqu'il doit franchir un examen important. Il sait déjà qu'il doit étudier plus, mais encore, il lui est peut-être possible de réviser avec un ami qui possède bien la matière et pourra la lui expliquer en des termes qu'il comprendra aisément. S'il vit habituellement un stress indu lors de ses examens, suggérez-lui de se préparer à ne pas se laisser paralyser par l'anxiété en imaginant la situation de l'épreuve dans tous ses détails, en voyant et ressentant mentalement les éléments sur lesquels il détient un certain contrôle : son attitude devant la feuille, le temps pris à survoler rapidement l'ensemble des questions, la rédaction des réponses plus faciles en premier, ses respirations profondes lorsqu'il sent qu'il se crispe, la nature des pensées qu'il se répète, etc.

habiletés sociales

La course à obstacles se compare encore au cheminement d'une nouvelle relation amicale ou amoureuse : chaque étape constitue une haie, de la période des premiers contacts à la confiance établie, tout comme certaines déceptions, lorsque par exemple l'autre émet une remarque ou un commentaire désobligeant, ou prend une décision qui ne nous semble pas appropriée, etc. Mais faut-il pour autant abandonner la course ? Quelle serait l'attitude de coureur du jeune en amitié ? En amour ? Laisse-t-il tomber devant la première haie qui lui semble plus difficile à franchir ? Fonce-t-il tout droit sans se préparer à sauter ? Comment peut-il se mettre en forme ? Dans le cas de relations amicales ou amoureuses, le programme de mise en forme peut contenir par exemple des attentes réalistes, la prévision d'inévitables déceptions et leur résolution harmonieuse par la communication franche et ouverte (plutôt que de laisser le temps passer), etc.

L'usage de l'alcool et l'échec du processus d'individuation[1]

Pour entrer avec succès dans l'âge adulte, l'adolescent doit franchir certaines étapes, dont les plus fondamentales sont la formation de l'identité, la maîtrise de soi et la capacité à résoudre des problèmes, l'investissement dans les relations sociales et intimes ainsi que l'expérience de l'autonomie. Dans ce contexte, la consommation de substances comme l'alcool ou la drogue peut être perçue comme un type de comportement normatif par lequel les adolescents expérimentent leur indépendance et tentent d'établir l'autonomie de leur identité et de leur façon de vivre.

Toutefois, les comportements liés à l'abus de drogue et d'alcool traduisent plutôt une difficulté ou un échec du processus d'individuation alors que certains aspects de l'environnement familial viennent interférer dans l'évolution de l'adolescent, comme par exemple l'isolement émotionnel et/ou l'absence de différenciation qui découlent de relations parent-adolescent fusionnelles, symbiotiques ou triangulaires.

La consommation apparaît alors comme une réponse à la crise d'individuation, en remplissant l'une ou l'autre des fonctions suivantes : (1) elle procure l'illusion d'indépendance alors qu'elle renforce au contraire la dépendance de l'adolescent envers sa famille, dans un processus appelé « pseudo-séparation » ou « pseudo-individuation » ; (2) elle vient compenser les déficiences de l'ego qui empêchent l'adolescent de tolérer l'individuation et de parvenir à l'opérer ; (3) elle provoque une crise qui a pour effet de concentrer toute l'attention sur l'adolescent, de forcer un rapprochement de la famille et, par conséquent, de nuire à l'individuation.

Cette idée que l'alcool vient mettre en échec le processus d'individuation reçoit une confirmation supplémentaire avec les conclusions d'une étude[2] qui établit clairement qu'une enfance au sein d'une famille alcoolique implique de plus hauts degrés d'anxiété et de plus bas degrés de différenciation de soi que n'en connaissent les personnes issues de familles non alcooliques.

---

[1] Paul E. Baer et James J. Bray, « Adolescent Individuation and Alcohol Use », supplément au *Journal of Studies on Alcohol,* 13, mars 1999, p. 52-62.

[2] S. Maynard, « Growing up in an alcoholic family system: the effect on anxiety and differentiation of self », *Journal of Substance Abuse,* 9, 1997, p. 161-170.

35. Nintendo

1. Demander à l'adolescent de décrire l'illustration à sa façon.

2. Mettre en évidence la métaphore à exploiter.

Pour aider l'adolescent à considérer les nouveaux scénarios qui apparaissent dans sa vie comme une version plus complexe d'un jeu Nintendo : dans les deux cas, nul ne s'attend à ce qu'un débutant soit aussi habile qu'un expert.

▶ Notez que cette illustration s'avérera efficace auprès des adolescents qui s'adonnent à ce type de jeu ; pour un jeune qui n'a pas développé d'intérêt marqué à cet égard, il sera préférable d'utiliser une autre métaphore.

▶ Discutez avec le jeune de ce qu'il aime dans ce jeu : ce peut être sa capacité à s'absorber complètement et de se concentrer uniquement sur ce qui se passe à l'écran ; ce peut être également la notion de défi qui le satisfait, d'autant plus qu'à mesure qu'il joue, il devient de plus en plus habile et franchit les niveaux de difficulté du jeu, améliorant ses performances et la valeur de ses réussites ; ce peut être encore la variété des jeux possibles, ce qui permet de choisir selon son humeur tel ou tel type de scénario.

3. Relier la métaphore à un problème auquel est confronté l'adolescent.

Cette métaphore permettra d'initier la discussion au sujet des transformations importantes qu'il subit, afin de lui faire comprendre que, plus il grandit, plus le degré de difficulté de la vie augmente et il lui faut déployer plus d'efforts pour récolter des points, comme au Nintendo : les parents deviennent plus exigeants envers lui, les relations avec les amis se compliquent, la matière enseignée dans ses cours approfondit les notions qui autrefois lui paraissaient si simples, etc., au point qu'il peut s'avérer difficile de maîtriser la complexité de tous ces aspects de sa vie, en même temps. Toutefois, vous pouvez ancrer sa confiance en lui en lui demandant combien de points il estime avoir récolté au jeu Nintendo de sa vie, face à tous ces changements qui surviennent. Quels sont ses points forts, quelles habiletés a-t-il développées ? Vous pourrez également lui rappeler que, la première fois qu'il s'essaie à un nouveau jeu, il ne se sent pas à l'aise, et se trouve incompétent, ne possédant pas toutes les règles de ce scénario inconnu pour lui, ignorant encore les raccourcis disponibles, étant peut-être même plus conscient de ses limites que de ses forces. Par la suite, plus il joue à ce jeu, plus il y excelle, plus il accumule facilement des points et plus sa fierté et sa confiance grandissent. De la même manière, la découverte de soi-même, de son corps comme de son esprit, se compare à un nouveau jeu dont il faut apprivoiser les règles et qui exige que l'on exerce de nouvelles habiletés.

Plusieurs adolescents traversent une période d'idées noires : le jeune se sent envahi par des pensées destructrices, ne sait pas comment limiter cette invasion ni quoi faire avec ses impressions d'être délaissé, abandonné, incompétent dans sa vie de tous les jours et plus encore dans les situations qui sortent de son ordinaire ou qui sont plus émotivement chargées (échec, humiliation en classe ou devant des amis, etc.). Vous pouvez lui suggérer de considérer ses pensées, leur flot et la direction qu'elles prennent comme un jeu qu'il lui est possible d'apprendre à contrôler et qui requiert des habiletés similaires à celles du Nintendo : concentrer son attention sur la capture de ses pensées dévalorisantes (et non sur les idées elles-mêmes) ; exercer sa capacité à les anéantir lorsqu'elles l'assaillent en les remplaçant par une pensée constructive ; développer une attitude objective comme s'il regardait un écran, en observant ce qui s'y déroule de façon détachée ; appuyer sur pause ou arrêt afin d'interrompre les pensées, lorsque la fatigue se fait sentir et que l'on commence à accumuler les gaffes plutôt que les points. Demandez à l'adolescent d'évaluer son aisance à ce jeu de la maîtrise de ses pensées : à quel niveau estime-t-il son habileté compte tenu de son expérience ? Débutant ? Intermédiaire ? Expert ? Comment pourrait-il améliorer sa performance ? Proposez-lui de se fixer un nombre de points à atteindre au cours de la semaine qui vient, en tentant par exemple de contrôler ses pensées au moins cinq fois. Il peut aussi prévoir les déclencheurs de ses pensées et ainsi être davantage prêt à y faire face.

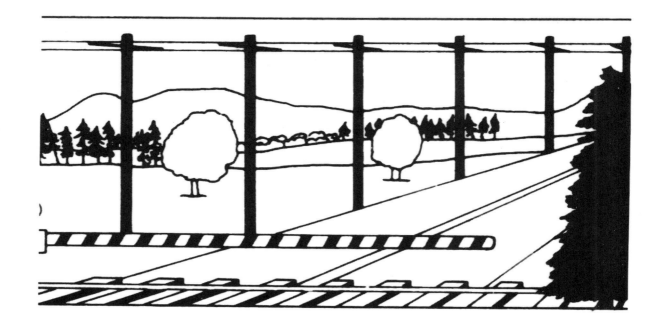

36. Double perspective

Pour aider l'adolescent à remettre en perspective certaines attitudes ou comportements qu'il a tendance à juger de façon partielle, sans tenir compte de tous les éléments.

1. Demander à l'adolescent de décrire l'illustration à sa façon.

Seule la partie supérieure de l'illustration doit tout d'abord être présentée à l'adolescent : utilisez un cache pour masquer le bas, de façon à ce que les poteaux de téléphone paraissent être alignés sur une ligne droite ; dans un second temps, tout en lui indiquant d'être attentif au changement de perspective qui se produira, retirez graduellement le cache.

2. Mettre en évidence la métaphore à exploiter.

▸ Faites ressortir qu'une vision partielle d'un événement, d'une situation ou d'un comportement organise les éléments selon une certaine perspective, mais que celle-ci se révèle erronée lorsque l'on considère l'ensemble des constituants qui s'y rattachent.

3. Relier la métaphore à un problème auquel est confronté l'adolescent.

Les comportements de dépendance peuvent être abordés à l'aide de cette métaphore de la double perspective. Demandez à l'adolescent si, à l'égard de son choix de consommer de l'alcool ou de la drogue, il a développé une vision partielle ou entière de son comportement : tient-il compte uniquement d'une partie de sa consommation, celle qui le justifie d'agir ainsi, en considérant essentiellement qu'il s'agit d'une activité à laquelle il se livre de temps en temps avec ses amis, en se disant qu'il ne fait rien de mal ni de bien grave ? S'il tenait compte également de l'opinion de ses parents, de sa petite amie, de son directeur d'école, des besoins financiers que ce comportement implique, des conséquences de sa consommation sur son corps, le lendemain d'un party par exemple, le tableau d'ensemble serait-il le même ? Les poteaux de téléphone lui sembleraient-ils toujours alignés sur une ligne droite ? Lui arrive-t-il parfois de voir la diagonale de la perspective d'ensemble au moment même où il consomme ? Comment se sent-il alors ? Craint-il de récolter de sérieux problèmes s'il poursuit sur cette voie ?

Afin d'amener l'adolescent à considérer l'ensemble des facteurs liés à son choix de consommation, utilisez différentes chaises sur lesquelles il devra s'asseoir pour exprimer divers points de vue sur ce comportement : sur l'une d'elles, il prend par exemple le rôle du directeur d'école, verbalisant au « je » et décrivant sa vision du tableau, puis il assume ensuite la voix de son père, de sa mère, de son amie, d'un ami qui consomme, etc., en terminant par la chaise de l'objectivité, celle qui tient compte de l'ensemble des avis exprimés. Cette technique gestaltiste lui permettra d'acquérir une meilleure évaluation du portrait d'ensemble.

Dans le cas d'une situation de divorce difficile à accepter pour le jeune, qui souffre de devoir se diviser entre l'un et l'autre de ses parents, habitant avec l'un, visitant l'autre, refusant d'accepter que de nouveaux beaux-parents viennent s'introduire dans sa vie, vous pouvez favoriser un changement de perspective en amenant l'adolescent à décrire ce qui se cache dans la partie inférieure du tableau : comment la vie à la maison évoluait-elle, avant la séparation ? Qui souffrait de cette situation tendue ? Comment l'hostilité des parents se manifestait-elle ? Qu'est-ce qui a changé depuis le départ d'un des parents ? Pour chacun d'eux ? Entre eux ? Dans leur relation avec lui ? Quel effet a sur son père et/ou sa mère la rencontre d'une nouvelle ou d'un nouveau partenaire ? L'ensemble de la situation est-il plus positif qu'avant ? (Évidemment, si la situation s'est détériorée pour l'adolescent et/ou l'un des parents, il vaudra mieux utiliser une autre métaphore.)

À l'égard de différents aspects de sa vie, le jeune aura peut-être développé une vision parcellaire et négative : c'est souvent le cas de l'école, que les adolescents se conditionnent à détester sans trop s'en rendre compte. Demandez à celui auprès duquel vous intervenez quelle perspective il a choisi d'observer en regard de sa fréquentation scolaire : est-ce que toutes les réflexions qu'il se fait à ce sujet sont négatives ? Le matin, envisage-t-il sa journée en dressant une liste d'événements et de rencontres qui sont désagréables (« il faut que je me lève parce que je vais encore être en retard pour attraper l'autobus », « il faut que je me tape tel professeur en avant-midi », « j'ai encore un cours de cette matière où je suis nul », etc.) ? S'il regardait l'ensemble du tableau, en cherchant à faire ressortir ce que son cheminement scolaire lui apporte maintenant et lui apportera plus tard, en considérant qu'il s'agit d'une période intéressante de sa vie où il a la chance de découvrir toutes sortes de choses, y compris sur lui-même, qu'est-ce que cela changerait dans son attitude générale envers l'école ? Croit-il que son estime de lui-même sera la même selon qu'il adopte l'une ou l'autre de ces deux visions ? Et son enthousiasme ? À la suite de votre discussion, vous pouvez donner à l'adolescent une copie de l'illustration, afin qu'elle lui serve de rappel des conséquences actuelles, à moyen et à long terme, que vous aurez évoquées ensemble.

L'usage de l'alcool et l'échec du processus d'individuation[1]

Une étude du Collège de Médecine Baylor de Houston, a cherché à décrire le modèle de développement psychosocial de la consommation d'alcool chez les adolescents. Plus spécifiquement, elle analyse deux aspects du processus d'individuation chez l'adolescent afin de définir leur rôle en rapport avec la dynamique familiale, le degré de stress chez le jeune et la relation avec les pairs.

Les deux aspects étudiés constituent des mesures parallèles mais contradictoires du processus d'individuation. La mesure de séparation prend en compte les aspects de l'individuation qui sont reliés au détachement et à l'esprit de révolte, dont l'objectif est de permettre l'émancipation du contrôle parental et de la dépendance à la famille. Les mesures d'individuation intergénérationnelle considèrent plutôt l'évolution du degré d'indépendance de l'adolescent et de son contrôle sur sa vie alors qu'il intègre et conserve le support des liens familiaux.

Cette enquête a évalué la consommation d'alcool chez les adolescents de 2 groupes-tests indépendants (le premier incluant des adolescents de la 6e à la 12e secondaire et le second étant composé d'élèves de la 6e à la 8e), en partant du principe que l'usage de l'alcool occupe une fonction particulière dans les deux mesures d'individuation et qu'elle entre en relation avec les facteurs conflit familial, communication avec la mère, niveau de stress et consommation des pairs.

Ainsi, lorsque le conflit familial s'intensifie ou lorsque la qualité de la communication avec la mère s'avère relativement pauvre, les résultats de l'étude indiquent une réduction de la qualité de la communication parent-adolescent, un stress plus marqué, une plus grand implication auprès des pairs consommateurs d'alcool et une tendance à consommer de façon solitaire[2] . Par ailleurs, lorsque le stress augmente, l'implication auprès des pairs et la consommation personnelle d'alcool augmentent aussi et, comme il a été clairement établi, une plus grande implication auprès des pairs consommateurs se traduit directement par une plus grande consommation.

Dans les deux groupes-tests, des corrélations significatives ont été relevées entre les mesures d'individuation et le climat familial, la consommation des pairs et le taux de stress. L'individuation-séparation présentait une plus forte relation à la consommation d'alcool que ne le faisait l'individuation intergénérationnelle et elle s'associait à de plus hauts degrés de stress et de consommation par les pairs.

---

[1] Paul E. Baer et James J.Bray, « Adolescent Individuation and Alcohol Use », supplément au *Journal of Studies on Alcohol*, 13, mars 1999, p. 52-62.

[2] Ces résultats concordent autant avec la théorie qu'avec les données antérieures (Newcomb et Bentler, 1988 ; Petraitis *et al.*, 1999 ; Savada, 1987 ; Zucker *et al,* 1994).

37. Loupe

1. Demander à l'adolescent de décrire l'illustration à sa façon.

2. Mettre en évidence la métaphore à exploiter.

▸ La fleur et l'insecte appartiennent tous deux au même tableau, mais il est toujours possible de faire ressortir ce qui est agréable ou désagréable d'une situation donnée.

3. Relier la métaphore à un problème auquel est confronté l'adolescent.

L'adolescent qui aspire à plus de liberté d'action et de mouvement considère souvent ses parents sous l'angle qui lui déplaît le plus : ils sont contrôlants, ils ne lui donnent pas suffisamment d'argent, ils fixent des limites et des interdits à propos de tout, ils ne le laissent jamais tranquillement à rien faire, etc. Y aurait-il une façon, cependant, de considérer les points plus positifs de l'attitude des parents, de déplacer sa loupe temporairement en considérant par exemple les points suivants : quelles sont les raisons qui les poussent à agir ainsi ? Est-ce pour le préparer à sa vie d'adulte ou est-ce simplement pour le contrôler à tout prix ? Comment était-ce pour eux, lorsqu'ils étaient eux-mêmes adolescents ? Qu'est-ce que ses grands-parents ont transmis à ses parents, qu'ils lui transmettent à leur tour, comme valeurs, comme principes moraux, comme règles de vie dans la maison et en société ? Quand il aura lui-même des enfants ou, s'il ne croit pas en avoir, quand son frère ou sa sœur en aura, que voudrait-il leur léguer de cet héritage ? Quelle partie de cette éducation trouve-t-il bénéfique ?

Les relations interpersonnelles des adolescents s'avèrent le plus souvent extrêmes, amour-amitié fanatique dans un premier temps, rejet complet et total dans un second temps, pour motif de jalousie, de mésentente, de quiproquos, etc. Quelle que soit la partie qu'il vit actuellement (celle de la fascination ou du rejet), demandez au jeune de vous décrire les éléments opposés à sa vision actuelle des choses : est-il capable de décrire objectivement son propre comportement ? de dire, par exemple : « je crois que, pour le moment, je choisis de ne voir qu'un côté des choses » ? Comment pourrait-il voir l'ensemble ? Si nécessaire, proposez quelques pistes en suggérant des qualités positives ou moins reluisantes chez cet ami (frère, sœur, parent, professeur) qu'il déteste ou adore actuellement.

38. Mobile

1. Demander à l'adolescent de décrire l'illustration à sa façon.

Pour aider l'adolescent à comprendre que chacun influence ceux qui l'entourent, dans un groupe d'élèves, d'amis ou dans une maisonnée.

2. Mettre en évidence la métaphore à exploiter.

> ▶ Faites ressortir que le fait de mettre en mouvement l'une des pièces fait bouger tout le mobile : puisqu'elles sont reliées les unes aux autres, toutes les pièces sont affectées par une impulsion même si elle ne leur est pas directement imprimée.

3. Relier la métaphore à un problème auquel est confronté l'adolescent.

Chacune des pièces du mobile peut représenter un des élèves de sa classe : si l'un d'eux est très turbulent, son comportement interfère avec la concentration de tous les autres élèves, qui sont distraits, qui n'ont plus la même qualité d'attention et apprennent moins bien. À l'inverse, si un élève pose une question pertinente, il pourra stimuler l'ensemble du groupe et permettra à plusieurs d'approfondir leur connaissance d'une matière. Ainsi, l'attitude de chaque personne influence tous les autres membres du groupe, de façon négative ou positive. De la bonne humeur et une contenance souriante n'apporte pas la même énergie au groupe qu'une posture renfermée et hostile (le silence peut aussi, parfois, perturber les autres). Prenez le temps de discuter avec l'adolescent — ou la classe des occasions où il a été une pièce de mobile agitée par les autres ainsi que de celles où il a lui-même imprimé un mouvement sur les autres, en lui demandant ce qu'il a récolté dans l'une et l'autre situation. Serait-il prêt à exercer un rôle actif positif d'ici la prochaine rencontre ? Quelle serait la manière d'attirer le respect et la collaboration de son groupe ?

Plus encore que dans le milieu scolaire, au sein de la famille ou d'un groupe d'amis où les rapports entre les personnes sont plus étroits, chacun réagit aux autres membres, chacun est affecté par le mouvement des autres. Aidez l'adolescent à analyser sa « tonalité », en l'amenant à s'interroger sur sa façon de donner le ton et de réagir : si un membre de sa famille ou un ami est agité et turbulent et s'il réagit avec le même degré d'agressivité, il amplifie alors cette énergie déstabilisante qui déferle sur l'ensemble des autres personnes ; si au contraire il temporise le mouvement initial de l'autre, il neutralise la houle qui risquait de perturber le repas ou l'activité en cours. En quelle occasion se souvient-il d'avoir fait volontairement contrepoids à une impulsion qui venait troubler l'harmonie ? Et au contraire, a-t-il déjà consciemment mis en mouvement une spirale de crise dans la maison ? Avec les amis ?

Pour mieux ancrer la réalité de cette métaphore chez l'adolescent, suggérez-lui de faire une expérience qui ne lui coûtera pas beaucoup d'énergie et s'avérera fort révélatrice : proposez-lui d'observer, pendant une période déterminée (quelques heures), les réactions des autres à son attitude enjouée et chaleureuse, alors qu'il ne se laissera pas départir de sa bonne humeur même s'il perçoit des impulsions d'agressivité. Dans la mesure où il ne se produit pas de catastrophe et qu'il s'agit d'une journée « ordinaire », il notera certainement des impacts positifs dans le comportement des autres. Vous pourrez par ailleurs lui expliquer qu'il vient de comprendre pourquoi l'on se sent bien, en général, auprès de certaines personnes, sans savoir exactement ce qui cause ce bien-être : c'est que leur seule présence a pour effet d'éveiller ce qu'il y a de meilleur chez les autres. Et lui, quelle sorte de déclencheur souhaite-t-il être ? Quel type de mouvement veut-il créer autour de lui ?

39. Carrefour

1. Demander à l'adolescent de décrire l'illustration à sa façon.

Pour aider l'adolescent à envisager la direction de son avenir en tenant compte de l'itinéraire qu'il veut suivre pour y parvenir.

2. Mettre en évidence la métaphore à exploiter.

▸ Lorsque l'on arrive à un carrefour, c'est la destination que l'on désire atteindre qui détermine la direction que l'on emprunte ; lorsqu'on ignore où aller, les indications de la croisée des chemins ne nous sont d'aucune utilité.

3. Relier la métaphore à un problème auquel est confronté l'adolescent.

La métaphore est tout à fait indiquée lorsqu'il s'agit d'aborder le sujet de la préparation de l'avenir de l'adolescent : les dernières années du secondaire impliquent des choix qui détermineront la formation postsecondaire du jeune. Comme s'il arrivait à un carrefour, il doit déjà connaître la direction générale qu'il désire prendre lorsque vient le moment de faire certains choix de cours : il doit donc clarifier ses objectifs et planifier son orientation, en étudiant l'itinéraire qu'il doit emprunter pour se rendre dans le secteur d'emploi visé. Si, par exemple, la formation nécessaire pour exercer la profession ou le métier choisi exige qu'il s'expatrie, il doit évaluer s'il est prêt à partir pour quelques années : s'il s'agit d'un critère important pour le jeune, il doit en tenir compte et se diriger vers des formations qui sont dispensées dans sa région.

Par ailleurs, si l'adolescent est anxieux et craint de se tromper, croyant que ses choix actuels détermineront définitivement son avenir, vous pourrez lui indiquer qu'il est possible (et dans certains cas préférable) d'essayer plus d'un itinéraire : il peut faire un pas dans une direction afin de vérifier si c'est bien cette voie qui lui convient, puis décider ensuite de revenir au carrefour pour emprunter une nouvelle direction. Le fait d'expérimenter une ou deux orientations différentes avant de se « brancher » lui permettra de mieux se connaître et de choisir en meilleure connaissance de cause : rassurez-le en lui disant qu'il est toujours préférable de savoir pourquoi on fait les choses plutôt que de suivre une voie en ignorant si elle nous convient vraiment.

Prenez le temps de faire s'exprimer l'adolescent sur ce qu'il éprouve devant son carrefour professionnel : est-il angoissé ? Se sent-il dépassé ? impuissant ? poussé dans une direction plutôt qu'une autre, sous l'influence d'un parent, d'un ami, d'un professeur, qui le « voit » dans ce domaine ? Vous devrez évidemment le ramener à ce qu'il ressent profondément à l'égard de ses choix, ce qui constitue sa meilleure boussole puisque nul autre que lui-même n'aura à triompher de sa formation ni n'exercera son métier ou sa profession à sa place. Interrogez-le enfin sur son sentiment envers l'itinéraire lui-même : a-t-il peur de faire un pas plutôt qu'un autre ? Est-il déjà convaincu que la route sera longue et pénible ? La voit-il au contraire accueillante et remplie de défis stimulants ?

Dans certains cas, vous devrez utiliser la métaphore en insistant sur le fait qu'en arrivant à un carrefour, il est généralement indiqué de marquer un temps d'arrêt pour bien s'assurer de la direction à prendre. Ainsi, si le jeune appartient à ces familles dont l'entreprise se transmet de père ou mère en fils ou en fille, il pourra être nécessaire de l'amener à s'interroger sur ses motivations réelles : est-ce là l'orientation qu'il désire lui-même prendre ou si sa famille tient déjà pour acquis qu'il prendra la relève ? Évaluez les conséquences du choix, à court et long terme : si, à court terme, il lui semble plus facile de consentir au désir de la famille, croit-il pouvoir donner vraiment sa pleine mesure et trouver satisfaction dans son travail pour le reste de sa vie active ? De la même manière que, sur l'illustration, le garçon est seul à devoir prendre sa décision, il sera également le seul à porter la responsabilité de son choix et à en assumer les conséquences.

40. Jeu des chapeaux

40. Jeu des chapeaux

1. Demander à l'adolescent de décrire l'illustration à sa façon.

2. Mettre en évidence la métaphore à exploiter.

Pour aider l'adolescent à prendre conscience des variations de son attitude selon les gens avec qui il entre en contact et l'amener à réaliser que les autres aussi réagissent différemment selon le chapeau qu'il porte.

▸ Le jeu des chapeaux fonctionne comme celui de la chaise musicale : un nombre moins élevé de chapeaux que le nombre de participants circule et, lorsque la musique s'arrête, celui qui n'en possède pas est éliminé. Il y a cependant une différence notable, puisque chacun doit prendre le rôle du personnage indiqué sur le chapeau.

3. Relier la métaphore à un problème auquel est confronté l'adolescent.

T'arrive-t-il de jouer à ce jeu, sans t'en rendre compte, auprès de certains de tes amis, alors qu'avec l'un tu es calme, avec l'autre tu deviens plus agressif, avec un autre encore tu consommes sans te préoccuper de ce que les autres en pensent ? De façon implicite, il est ainsi fréquent que nos amis nous fassent porter différents chapeaux et l'adolescent éprouve souvent un certain malaise à se retrouver dans ces diverses images que lui renvoient les autres. Si vous voulez utiliser l'exercice pour évaluer avec le jeune son cercle amical ou social, demandez-lui d'associer à chacun de ses amis ou chacune de ses relations le nom du chapeau qu'il porte lorsqu'il entre en contact avec lui ; vous permettrez ainsi à l'adolescent d'identifier à quel point il veut être accepté en lui faisant prendre la mesure de ses variations d'attitudes.

Porte-t-il les mêmes chapeaux en présence des filles et des garçons ? Devant les filles, porte-t-il le chapeau du timide qui n'ose prendre la parole ? Du macho ? Du type sérieux et responsable ? Devant les garçons, porte-t-elle le chapeau de celle qui n'est pas intéressée ? De la bonne amie qui reçoit les confidences ? De celle qui est tellement peu sûre d'elle-même qu'elle en bafouille ?

Quel est le chapeau avec lequel il se sent le plus à l'aise ? A-t-il déjà essayé celui qui indique le rôle « moi-même » ? Quels sont les chapeaux qui lui causent le plus de malaise et d'inconfort ? Il s'avérera peut-être utile de jouer vraiment le jeu avec l'adolescent, pour lui permettre de mettre en pratique d'autres attitudes afin d'évoluer dans une relation où il se sent piégé par une image dont il ne peut sortir.

Quel chapeau arbore-t-il à l'école ? Quel rôle tient-il à jouer ? Celui du clown qui blague toujours et fait rire les autres ? Du studieux qui ne s'intéresse qu'aux ordinateurs ? De l'effacé sourd-muet qui ne s'implique auprès de personne ? Du sportif ? Si le jeune est inconfortable et pris au piège dans ce rôle, expliquez-lui qu'il est possible d'en changer et de « redécider » son attitude à l'école et en classe. Cette redécision pourrait s'avérer profitable sur le plan de la réussite scolaire comme dans ses relations avec les autres élèves, les professeurs et la direction de l'école (dans le cas où son rôle est négatif et implique de fréquents affrontements avec l'autorité).

Explorez avec l'adolescent ce qu'il éprouve en portant ses chapeaux et quelles sont les conséquences de chacun. Quels chapeaux connaît-il le mieux ? Quelles sont l'attitude et la posture commandées par chacun d'eux ? Quelles sortes de pensées sont associées à chacun ? Quelles émotions accompagnent le port de tel ou tel chapeau ? Les autres réagissent-ils toujours de la même manière, quel que soit le chapeau qu'il porte ? L'exercice a pour but de lui faire réaliser que ses choix ont nécessairement des conséquences sur les plans physique, émotionnel, cognitif et social et de lui permettre d'évaluer si c'est bien là ce qu'il désire obtenir comme résultat. Dans le cas contraire, offrez-lui d'essayer un nouveau chapeau, qui conviendrait mieux aux conséquences qu'il aimerait produire, et de l'expérimenter, tout d'abord par jeu de rôle, puis à petites doses dans sa vie de tous les jours, en notant les différences et les résultats obtenus.

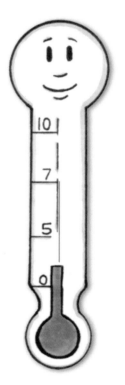

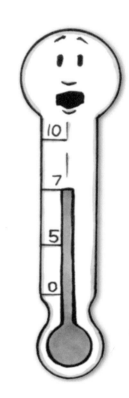

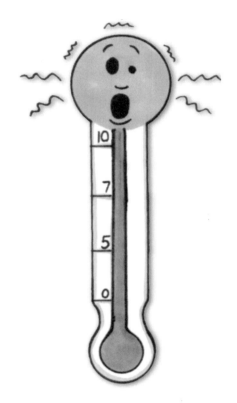

41. Thermomètres

1. Demander à l'adolescent de décrire l'illustration à sa façon.

2. Mettre en évidence la métaphore à exploiter.

Pour aider l'adolescent à reconnaître ses états intérieurs et à formuler des réactions et comportements appropriés selon ce que lui indique son thermomètre intérieur.

▶ Les thermomètres indiquent habituellement la température extérieure ou encore celle du corps, mais ils illustrent ici celle des émotions : la colère, la surprise, la joie, etc. Une température de 2 degrés reste confortable, de 7, elle devient difficile à soutenir, et de 10 et plus, elle atteint des proportions extraordinaires.

3. Relier la métaphore à un problème auquel est confronté l'adolescent.

Les adolescents sont extrêmement versatiles sur le plan émotif : ils passent d'une seconde à l'autre de l'exubérance à l'abattement, sous le coup d'une poussée d'hormones, sans trop comprendre ce qui leur arrive. Il leur sera extrêmement utile d'apprendre à reconnaître et à évaluer leurs émotions, en identifiant leurs manifestations et symptômes intérieurs, et de savoir comment reprendre le contrôle d'eux-mêmes, au-delà du fait que les transformations physiologiques qu'ils connaissent actuellement soient en partie responsables de cette versatilité. Demandez à l'adolescent comment il se sent lorsqu'il chute brusquement de 10 à 2 degrés ? Comment les autres réagissent-ils à ces écarts extrêmes ? Parallèlement à la partie « hormonale », sur laquelle il n'a pas de réel contrôle, croit-il pouvoir maîtriser l'intensité de son émotion ? Quelles sont les réflexions et les pensées qui traversent son esprit dans ces moments-là ? Alimentent-elles l'aspect négatif de son émotion ou tempèrent-elles au contraire sa véhémence ? Insistez sur l'importante responsabilité du discours intérieur sur la violence de ses émotions, plus déterminante encore que les facteurs extérieurs qui la déclenchent.

Voyez ensuite avec le jeune s'il est conscient de son thermomètre intérieur : a-t-il l'habitude d'en faire la lecture de façon à pouvoir ajuster plus adéquatement ses réactions selon les degrés de température indiqués ? En évaluant l'intensité de sa colère, par exemple, que fait-il lorsque son thermomètre lui signale 2 ou 3 degrés ? Ne serait-ce pas le bon moment d'en parler, de dire ce qui ne va pas, avant que son émotion ne prenne plus d'ampleur ? Lorsqu'il atteint 10 degrés, comment réagit-il ? Ne vaudrait-il pas mieux se taire et se retirer pour retrouver ses esprits avant d'agir ou de s'exprimer ? S'il éprouve une grande joie, lorsqu'il vient de recevoir un cadeau, un prix ou une bonne nouvelle, une température de 2 degrés se traduit par un état d'esprit objectif et il lui est possible de remercier et d'accueillir convenablement l'événement, mais à 10 degrés et plus, l'extravagance de sa réaction sera reçue avec un certain malaise. Devant une peur panique qui atteint 10 degrés et l'obnubile complètement, le jeune aura tout intérêt à aller chercher de l'aide, une fois calmé, pour essayer de démystifier ses peurs et ne plus en être prisonnier. Toutes les émotions peuvent être traitées à l'aide de cette métaphore, en autant que l'intervenant permette à l'adolescent d'identifier les comportements et réactions appropriés qui s'imposent pour chacune d'elles, afin qu'il puisse se dégager de ce sentiment d'inconfort ou de malaise qu'induisent les fortes émotions et qui s'attaque directement à l'estime et à la confiance en soi.

La passion est une émotion bien connue des adolescents, qui se laissent parfois complètement aspirer par l'objet qui les fascine, soit un groupe de musique, un ami, une mode ou un endroit à fréquenter, selon des proportions qui vont du tout au rien. En permettant au jeune de réaliser qu'il maintient son thermomètre à plus de 10 degrés, il lui sera peut-être plus facile de lui faire comprendre les réactions de son entourage qui, sur le même sujet, a peut-être une température qui frise le 0 : ce décalage lui expliquera les difficultés de communication auxquelles il se bute parfois, alors qu'il se sent incompris et incapable de partager ce qu'il ressent.

42. Cassette

1. Demander à l'adolescent de décrire l'illustration à sa façon.

2. Mettre en évidence la métaphore à exploiter.

▸ Même s'il est impossible de savoir ce qu'écoute exactement le garçon de l'illustration (une musique de détente ou au contraire stressante), il est évident qu'il entend ce qui a été enregistré sur la bande audio.

3. Relier la métaphore à un problème auquel est confronté l'adolescent.

Plusieurs sujets peuvent être abordés à l'aide de cette métaphore, notamment pour faire remarquer à l'adolescent qu'il écoute parfois des enregistrements anciens que d'autres personnes ont préparés pour lui alors que d'autres bandes mieux adaptées à ses goûts actuels s'avéreraient beaucoup plus stimulantes. Par exemple, à la suite d'un grave accident d'automobile, l'adolescent qui porte des séquelles graves, voire un handicap, ou encore le jeune qui se sent en partie responsable de l'événement peut être à l'écoute d'une cassette qui lui rappelle constamment les faits ou leurs conséquences. Demandez-lui dans un premier temps quel est le contenu de la cassette qu'il écoute : se dit-il que personne ne l'acceptera ? qu'il ne pourra pas réussir aussi bien que les autres à cause de son handicap ? que personne ne pourra l'aimer ? ou encore, qu'il n'a pas le droit de commettre d'erreur ? qu'il aurait dû tout prévoir et prévenir l'imprévisible ? Dans un second temps, poursuivez en l'interrogeant sur la cassette elle-même : depuis combien d'années a-t-elle été enregistrée ? Qui l'a enregistrée ? N'a-t-il pas l'impression que le ruban commence à souffrir de distorsion et qu'il serait peut-être temps de laisser de côté cet enregistrement ? Pour permettre au jeune de saisir le principe de distorsion de sa vieille cassette, expliquez-lui qu'elle fonctionne selon la règle erronée du $2 + 2 = 9$: on ne s'en rend pas compte, mais nous nous laissons parfois berner par de fausses équations qui brouillent la réalité et, plus nous les répétons, plus elles nous semblent justes, plus elles influencent notre façon de voir les choses. Il s'avérera sans doute nécessaire de rectifier une à une les pensées biaisées que l'adolescent a enregistrées et de l'aider à élaborer une nouvelle version de sa cassette, plus proche de $2 + 2 = 4$. Selon les cas, vous pourrez plus concrètement encore ancrer la métaphore, en présentant une cassette vierge à l'adolescent, en commentant avec lui ce qu'il veut y enregistrer et en la lui laissant à la fin de la rencontre, afin qu'elle lui rappelle de ramener son esprit au nouveau discours intérieur lorsqu'il se rend compte que la vieille cassette se remet à jouer.

La majorité des gens, et plus particulièrement les adolescents, possèdent une cassette interne intitulée « ce que les autres pensent de moi ». Quels messages contient-elle ? Comment se sent-il lorsqu'il l'écoute ? À qui appartiennent les témoignages qu'il y entend ? S'agit-il là de personnes bien représentatives de la majorité des gens ? Sont-elles tout à fait objectives ? Leur opinion est-elle corroborée par les gens qui ont de l'affection et de l'estime pour lui ? Quel témoignage serait plus représentatif de sa personne ?

43. Internet

1. Demander à l'adolescent de décrire l'illustration à sa façon.

2. Mettre en évidence la métaphore à exploiter.

Pour aider l'adolescent à comprendre que les réactions et attitudes des autres résultent en partie de ce qu'il a commandé par ses propres réactions et attitudes, ou à analyser ses forces et faiblesses en tentant d'en tirer le meilleur parti.

▶ L'Internet nous donne accès à un monde d'information et de divertissement, en nous permettant de naviguer sur les sites que l'on désire visiter. Lorsque l'adresse du site que l'on cherche nous est inconnue, des fureteurs agissent comme de puissants moteurs de recherche qui nous dirigent vers tous les sites susceptibles de correspondre aux mots-clés que nous avons spécifiés dans notre requête.

▶ Prenez le temps de faire s'exprimer l'adolescent sur son utilisation de l'autoroute électronique : à quelle fréquence l'emprunte-t-il ? Pour se rendre sur quel type de sites ? Que trouve-t-il le plus intéressant dans ses navigations ?

3. Relier la métaphore à un problème auquel est confronté l'adolescent.

De la même manière qu'un individu compose une adresse sur le Web et obtient l'information spécifique qu'il recherche, en ayant même accès, à l'intérieur du site, à des renseignements encore plus précis, il lui est également possible, dans la vraie vie, de composer une « adresse » qui lui donne accès à des parties spécifiques de la personne avec laquelle il entre en contact. C'est-à-dire que certains de ses propres comportements sont des adresses qui le dirigent vers le mauvais côté de l'autre, en faisant ressortir les aspects les plus négatifs de sa personnalité : s'il commet des mauvais coups, ne respecte pas les règles ni l'autorité établie (à l'école par exemple), il commande automatiquement une navigation vers des réactions d'hostilité, de découragement, de déception ou de mépris. En revanche, si les adresses qu'il forme sur son clavier comportemental se traduisent plutôt par le respect de l'autre, par une attitude ouverte et agréable, qui s'enquiert de ce que l'autre vit et ressent, par la capacité à présenter ses excuses lorsque nécessaire, il se dirige infailliblement vers le bon côté de la personne avec qui il interagit et contribue à renforcer une relation nourrissante et satisfaisante pour l'un et l'autre. Amenez l'adolescent à réfléchir sur le type d'adresses qu'il compose en présence de ses amis, de ses frères et sœurs, de ses parents et des adultes en général. Où ses propres attitudes et comportements envers les autres le mènent-ils ?

La métaphore peut par ailleurs être développée en faisant ressortir que, si la composition d'une adresse équivaut à entrer en contact avec l'autre, les icônes du site Internet peuvent encore être activées lorsque l'on est « branché » sur la page de notre ami. Ainsi, il est possible de cliquer sur le bouton qui le met hors de lui, sur celui qui le fait exploser de colère, ou sur ceux qui suscitent sa collaboration et provoquent son ouverture d'esprit. Afin d'évaluer comment l'adolescent navigue sur les sites de ses amis ou de ses connaissances, demandez-lui de vous donner deux exemples précis de relation, l'une harmonieuse et riche, l'autre, difficile et en perpétuel décalage : sur quelles icônes a-t-il appuyé, dans l'un et l'autre cas, pour obtenir ce type d'interaction ? Dans le cas de la seconde relation, sait-il comment appuyer sur l'icône opposée, celle qui améliorerait la qualité des rapports avec cette personne ? Il sera peut-être nécessaire de travailler sur ce dernier point par le biais du jeu de rôle où vous élaborerez avec lui différentes stratégies de navigation efficace et gagnante. Vous pouvez également, le cas échéant, discuter avec le jeune de son répertoire d'adresses : sont-elles toutes excellentes et stimulantes ? Peut-être qu'il fréquente des personnes qu'il aurait intérêt à visiter moins souvent.

L'adolescence voit généralement tout en noir ou en blanc, n'accordant que bien peu d'attention aux nuances de gris ; il en va de même pour l'appréciation des sites Internet, qui sont nécessairement *full hot* ou « super stup » — la recherche des premiers est évidemment la plus répandue. Amenez le jeune auprès duquel vous intervenez à réfléchir aux aspects *full hot* de sa personne, en vous disant ce qu'il aime en lui, en vous indiquant quelle partie de son site serait la plus intéressante à visiter : est-ce sa capacité à comprendre les autres ? sa persévérance dans ses études ? ses ambitions personnelles ? Comment utilise-t-il ses forces ? Les met-il bien en évidence en les montrant au grand jour ? Les utilise-t-il à leur maximum ou seulement lorsque l'occasion se présente ? Par la suite, demandez-lui de vous faire visiter ses sites « super stup » : les montre-t-il souvent ? À qui ? Comment réagit-il aux commentaires de ceux qui les visitent ? Est-il capable de concilier ses bons et mauvais sites, de façon à ce que le meilleur de lui-même l'emporte et lui permette d'exploiter le mieux possible son potentiel ?

Les variables des contextes familiaux et le développement de l'autonomie chez les étudiants[1]

Un chercheur californien a étudié comment le contexte familial des étudiants encourage ou entrave le développement des compétences reliées à l'autonomie dans l'apprentissage. Les premiers résultats de l'enquête qu'il a menée auprès de 465 étudiants font ressortir que les pratiques familiales et les valeurs des parents sont associées au degré d'autonomie scolaire de leurs enfants : plus encore, les perceptions des étudiants envers leurs parents et leur milieu familial permettent de prédire leur attitude en milieu d'apprentissage.

Ainsi, le fait de percevoir ses parents comme étant fermement autoritaires et sa famille comme un milieu dont les membres sont affectivement proches les uns des autres laisse présager (1) une confiance générale et une image positive de soi, (2) une orientation positive des objectifs scolaires, (3) un sentiment de responsabilité envers la préparation de l'avenir et (4) une adaptation efficace à l'université. Ces profils familiaux ont également permis de prédire que les étudiants (1) considèrent leur cours d'introduction en psychologie intéressant et fort instructif, (2) qu'ils jugent adéquates l'organisation de leur temps et de leurs efforts ainsi que leurs habiletés de prise de notes et (3) qu'ils savent faire preuve d'une solide aisance dans une série de questions reliées aux différentes composantes de l'autonomie d'apprentissage.

En revanche, le fait de percevoir ses parents comme abusivement autoritaires et sa famille comme un milieu où on a l'impression d'être harcelé par des remarques continuelles ou d'être pris au piège prédétermine le sentiment de responsabilité envers la préparation de l'avenir. Ces profils familiaux ont par ailleurs permis de prédire que ces étudiants trouvent leur cours d'introduction en psychologie difficile et éprouvent des difficultés dans l'organisation de leur temps et de leurs efforts.

Les modèles associant les profils du milieu familial avec les perceptions des cours, les habitudes d'étude et les indices individuels d'autonomie dans l'apprentissage persistent même lorsque la variable du sentiment de confiance des étudiants n'est pas prise en compte et demeurent fortement présents chez ceux qui habitent avec leurs parents aussi bien que chez ceux qui vivent à l'extérieur du foyer familial.

[1] Amy A. Strage, « Family Context Variables and the Development of Self-Regulation in College Students », *Adolescence,* 33, 129, printemps 1998, p. 17-31.

HALDWÜCHSIGE

44. Halbwüchsige

1. Demander à l'adolescent de décrire l'illustration à sa façon.

2. Mettre en évidence la métaphore à exploiter.

Pour aider l'adolescent à prendre conscience de son réflexe premier devant de nouvelles situations ou ce qui lui est inconnu et lui permettre de développer en lui le mécanisme de la persévérance.

▸ L'adolescent sait-il à quelle langue appartient ce mot et ce qu'il signifie ? Vous devrez sans doute lui indiquer que ce terme allemand se traduit par « adolescence ».

▸ Dans sa vie de tous les jours, et à cette période de son évolution, l'adolescent est constamment confronté à de nouvelles choses qu'il ne connaît pas, des façons d'être et d'agir, des protocoles et des étiquettes adultes. Sa réaction à cette nouveauté, somme toute anodine, vous permettra néanmoins d'entrer en contact avec sa façon d'accueillir l'inconnu.

3. Relier la métaphore à un problème auquel est confronté l'adolescent.

Devant ce qui est difficile ou inconnu à l'école, quel est ton premier réflexe : as-tu tendance à aller plus loin pour découvrir sa signification - comme celle de ce mot - ou à laisser tomber ? Indiquez-lui bien que la deuxième réaction est généralement la plus répandue : nous éprouvons tous une paresse naturelle lorsqu'il nous faudrait faire l'effort de découvrir, car la découverte est toujours une action volontaire qui exige du temps et de la concentration. Toutefois, il s'avère au bout du compte beaucoup plus satisfaisant de fournir cet effort et de dépasser nos limites : non seulement nous approfondissons ou accédons alors à de nouvelles connaissances, mais encore nous renforçons du même mouvement notre confiance en nous et notre propre estime. Revenez avec l'adolescent sur son premier réflexe, en mettant en relief la façon dont il réagit spontanément à la nouveauté alors qu'il rencontre constamment, à cet âge où il s'ouvre sur le monde, des aspects inconnus et insoupçonnés de ce qui l'entoure comme de sa propre personne : il importe donc particulièrement de cultiver en lui le réflexe de la persévérance (plutôt que du laisser-aller), s'il veut entrer réellement en contact avec sa nouvelle réalité et acquérir les connaissances qui lui permettront d'évoluer sainement vers l'âge adulte.

La découverte du corps et de l'esprit de l'autre, qu'il soit du même sexe ou de sexe opposé, constitue pour tous une dimension intense et troublante de l'adolescence : l'autre « fonctionne » physiologiquement selon un code inconnu (même lorsqu'il est de même sexe, il ne réagit pas comme nous) et ses pensées sont parfois comme une langue étrangère dont nous ne possédons que quelques rudiments. Appuyez-vous sur la réaction de l'adolescent au mot étranger pour l'amener à décrire son attitude devant l'autre, notamment quand cet autre l'intéresse et l'intrigue : réagit-il de la même façon qu'au cours de l'exercice ? Cherche-t-il à deviner ? Suggère-t-il des tentatives de réponses ? Capitule-t-il dès le départ ? Quelle serait la meilleure stratégie ? Y aurait-il des outils qui lui permettraient d'en connaître plus sur l'autre (en utilisant le dictionnaire des relations humaines que sont la communication et l'échange) ? Devrait-il poser plus de questions ? S'exposer délibérément plus fréquemment à cette situation encore inconnue ? Faire certaines lectures ? Interroger des personnes significatives qui ont de l'expérience en ce domaine ?

1. Papa

2. Mama

3. Deutsch

4. Treppe

5. Ungeheuer

6. Entlastung

7. Komplott

8. Klasse

9. Karte

Traduction :

1. Papa   2. Maman   3. Allemand   4. Escalier   5. Énorme   6. Débarras   7. Complot   8. Classe   9. Carte

45. Langues étrangères

1. Demander à l'adolescent d'identifier les mots qui apparaissent sur la page de gauche. Certains seront tout à fait impossibles à traduire si le jeune n'a aucune connaissance de l'allemand alors que d'autres, de par leur ressemblance avec le français, et avec un peu de perspicacité, pourront vraisemblablement être reconnus.

2. Mettre en évidence la métaphore à exploiter.

▶ Chaque langue est étrangère pour les autres langues : malgré leurs différences, il existe néanmoins des points de contact entre les langues qui partagent le même alphabet. Ainsi, entre l'allemand et le français, il y a bien sûr des mots tout à fait dissemblables, comme escalier, allemand, débarras, dont les équivalents germaniques sont construits à partir de radicaux complètement distincts, mais on retrouve également des mots détectables et compréhensibles dans l'une et l'autre langue, comme papa/papa, complot/komplot, classe/klasse ou carte/karte.

3. Relier la métaphore à un problème auquel est confronté l'adolescent.

T'arrive-t-il, devant certaines personnes, d'avoir l'impression de parler une langue étrangère, alors que vous vous exprimez pourtant en français tous les deux ? Te sens-tu incapable de communiquer vraiment, de comprendre les mots qu'utilise l'autre (comme s'il employait des termes allemands), en sentant que, de son côté, il ne saisit pas ceux que tu emploies ? Peux-tu identifier ces personnes qui, même si elles sont proches de toi, te paraissent à ce point différentes (un parent, un professeur, un intervenant scolaire, etc. — souvent quelqu'un d'une autre génération) ? Dans un premier temps, l'adolescent parviendra sans doute à exprimer son sentiment d'incompréhension dans sa relation avec telle ou telle personne de son entourage et pourra également définir son sentiment de solitude et d'isolement. Vous devez cependant l'amener à pousser un peu plus loin sa réflexion, en l'interrogeant sur la possibilité qu'au-delà des différences de langage comme de philosophie, il existe des terrains similaires, des mots comme maman, complot, classe, carte, qui sont lisibles et intelligibles dans les deux langues. Quels seraient les points de contact entre le jeune et l'autre ? Où pourraient-ils se rejoindre ? Y a-t-il des aspects de l'autre qui ressemblent à la réalité du jeune ? Comment ces ressemblances peuvent-elles permettre à l'adolescent de mieux comprendre l'autre ? Il est particulièrement important de faire ressortir les similitudes entre les réalités de l'un et de l'autre, car l'adolescent ne pourra construire une relation plus harmonieuse que sur la base de ce qu'il partage avec l'autre : la reconnaissance des similitudes constitue en effet la pierre angulaire de la découverte de l'autre, celle sur laquelle se construiront son ouverture d'esprit et sa tolérance à l'égard de ce qui est différent de lui.

La métaphore permet de travailler efficacement avec l'adolescent à la recherche d'habiletés de communication ou d'actions qui seraient susceptibles d'être émises et reçues par les deux langages (celui du jeune et celui de l'autre). Aidez-le à devenir conscient de sa propre « illisibilité » aux yeux de l'autre, notamment lorsqu'il consomme pour dire « j'ai besoin d'aide », lorsqu'il se révolte pour signifier « je suis mélangé et j'ai peur de grandir », lorsqu'il s'enferme dans sa chambre et refuse tout contact pour appeler au secours. Soutenez-le dans sa recherche de termes accessibles et compréhensibles de façon à ce qu'il puisse s'assurer d'un meilleur soutien de la part de son entourage. Il pourra s'avérer extrêmement réconfortant pour le jeune de réaliser qu'il détient un certain contrôle sur la situation, qu'il n'est peut-être pas aussi isolé et incompris qu'il le croit, mais que les autres ne parviennent pas à bien saisir les messages qu'il leur envoie.

46. Poêles à frire

1. Demander à l'adolescent de décrire l'illustration à sa façon.

2. Mettre en évidence la métaphore à exploiter.

Pour aider l'adolescent à comprendre qu'en toute chose, qu'il s'agisse d'établir des liens avec un nouvel ami, de s'améliorer ou de réussir dans un domaine quelconque, de réaliser un projet qui lui tient à cœur, il est absolument nécessaire d'investir de l'énergie pour qu'une idée puisse se concrétiser.

▸ Entre la poêle qui attend sur le comptoir et celle qui a été placée sur l'élément de la cuisinière, la deuxième sera indéniablement celle qui assurera un repas plus rapide et aussi plus savoureux.

3. Relier la métaphore à un problème auquel est confronté l'adolescent.

As-tu parfois des idées, des ambitions qui restent sur le comptoir ? Entretiens-tu des espoirs de facilité d'apprentissage et de réussite dans une matière précise sans donner le coup d'envoi, sans y investir l'énergie nécessaire ? Quels seraient les efforts requis pour passer de l'état « en attente sur le comptoir » à la cuisinière, pour se familiariser avec cette discipline et se rapprocher des objectifs que tu vises ? Quand laisses-tu des projets scolaires sur le comptoir ? Quand actionnes-tu la cuisinière et amorces-tu la cuisson de tes projets, en t'attelant à la tâche et en persévérant dans tes apprentissages ? Vous pourrez développer plus avant la métaphore en faisant ressortir que, lorsqu'il laisse la poêle en attente sur le comptoir, il reste sur son appétit et ne se nourrit pas « intellectuellement » ; nourrir son estime de soi consiste en grande partie à mettre toutes ses ressources à contribution pour arriver à atteindre nos objectifs, à pressentir l'approche du but, comme lorsque le fumet du repas que l'on prépare nous ouvre l'appétit et nous réjouit à l'avance.

L'adolescent peut-il identifier des occasions où il ressent l'envie d'établir des relations amicales ou amoureuses avec certaines personnes, mais laisse les choses aller d'elles-mêmes ? Croit-il que la relation peut alors dépasser un état latent ? Quelles sont ses actions de type « comptoir » sur ce plan (elles se résument le plus souvent à des rêveries plus ou moins inconsistantes) ? Et celles de type « cuisinière » ? Ces dernières sont-elles généralement équilibrées et bien dosées ? Lui est-il déjà arrivé de « brûler » une relation parce que le feu de la cuisinière était trop élevé, qu'il voulait en faire trop, ce qui a eu pour effet de faire fuir l'autre ? Dans les assaisonnements, sait-il jouer avec les bouquets de fines herbes pour relever un plat sans en masquer le goût ? Il s'avérera peut-être important de développer avec le jeune cette allégorie de la cuisson en amitié et en amour, alors qu'il se situe à l'âge des excès et de l'emportement : développez avec lui tous les aspects qui dépassent la mécanique de la cuisine (couper les aliments, les disposer dans la poêle, mettre en fonction la cuisinière) pour lui permettre d'accéder aux raffinements de l'art culinaire (jouer avec les aromates pour rehausser les saveurs, disposer les aliments avec harmonie, etc.).

BHECIEAMR

47. Lettres

1. Demander à l'adolescent de décrire l'illustration à sa façon.

2. Mettre en évidence la métaphore à exploiter.

Pour aider l'adolescent à développer le goût de découvrir les combinaisons possibles des aspects fondamentaux de sa personnalité ou de ses relations avec les autres.

▸ Demandez à l'adolescent de composer le plus de mots possible avec ces lettres (il y a plus de 60 possibilités, lorsque l'on tient compte des verbes conjugués) ; à la suite de l'exercice, faites-lui remarquer qu'il est impossible de former un mot qui contienne les neuf lettres. De la même manière, lorsqu'on a beaucoup de projets ou que l'on aime plusieurs personnes, il n'est pas toujours possible de tenir compte de tout ou de tout le monde en même temps : il faut savoir choisir, composer avec les combinaisons possibles en sachant apprécier la diversité qu'elles savent créer.

3. Relier la métaphore à un problème auquel est confronté l'adolescent.

Plusieurs parents disent affectueusement de leurs adolescents qu'ils ont des trous dans les poches : les grands projets qu'ils caressent se révèlent effectivement souvent disproportionnés en regard des moyens financiers dont ils disposent, car ils ne connaissent pas bien encore la valeur de l'argent — qui leur fuit le plus souvent entre les doigts. D'une part, ils poursuivent plusieurs rêves et formulent beaucoup de demandes, mais, d'autre part, ils ne sont pas toujours prêts à fournir les efforts nécessaires à leur réalisation. La métaphore permettra d'aborder ce sujet, en démontrant clairement qu'il n'est pas toujours possible d'obtenir tout ce que l'on désire : devant une telle perspective, nous avons le choix de tout laisser tomber à défaut de pouvoir tout faire ou de tenter d'expérimenter le plus de combinaisons possibles, même si l'on doit sacrifier certaines choses pour les composer. Demandez au jeune de dresser une liste de ses besoins, de ses projets, en identifiant lesquels il pourra réaliser en tenant compte de son entourage, des priorités familiales, scolaires, amicales, financières et autres.

Vous pouvez également utiliser l'exercice en suggérant à l'adolescent d'associer chaque lettre à l'un de ses potentiels comme sa persévérance, sa jovialité, sa santé, son intelligence, etc. : essaie-t-il de mettre le plus grand nombre de lettres ensemble pour atteindre le développement de sa personnalité ou n'utilise-t-il qu'une ou deux d'entre elles à la fois ? Les résultats sont-ils comparables ?

Auprès de l'adolescent qui fréquente un ami « à risque », utilisez la métaphore pour évaluer sa motivation réelle et lui permettre d'analyser la pertinence d'entretenir cette relation. Ne partez pas du principe qu'il faille absolument éliminer cette lettre de son jeu, mais avancez sur ce terrain avec une grande ouverture d'esprit, en ne jugeant pas *a priori* le comportement de l'adolescent ; cherchez plutôt à découvrir ce qu'il en retire. Demandez-lui d'associer une lettre avec chacune des personnes significatives de son entourage (parents, frère et sœur, amis, dont celui « à risque ») : avec lesquelles lui est-il possible de créer le plus de combinaisons ? Ces lettres sont-elles toutes compatibles ensemble ? Il est possible qu'en approfondissant les motifs de l'adolescent, vous vous aperceviez qu'il tente de découvrir d'autres façons de faire et de voir les choses, dans le but d'élargir sa vision du monde, ce qui est tout à fait indiqué voire indispensable à son individuation, et qu'il ne cherche donc pas à adopter définitivement ce point de vue. Par exemple, l'agressivité, l'impolitesse ou la consommation peuvent traduire un besoin, une volonté de s'affirmer : si la personnalité du jeune s'est élaborée sur des fondements sains, une telle exploration contribuera à approfondir ses connaissances sans le mener infailliblement à sa perte. Interrogez l'adolescent sur ses lettres et soyez attentif à la façon dont il développe la métaphore : celui qui répond par exemple qu'il n'arrive pas à composer certains mots parce que les lettres des gens de sa famille se ressemblent trop va rechercher à l'extérieur du cercle familial la possibilité de nouvelles combinaisons, sans pour autant exclure les apprentissages qu'il possède déjà. Il lui est ensuite plus facile, une fois qu'il reconnaît les raisons de sa démarche, de mieux doser l'usage de ses lettres : en se rendant compte qu'en utilisant trop souvent la lettre de son nouvel ami, il se coupe de sa famille, il pourra revoir sa façon de mieux concilier la fréquentation de l'un avec les appréhensions des autres.

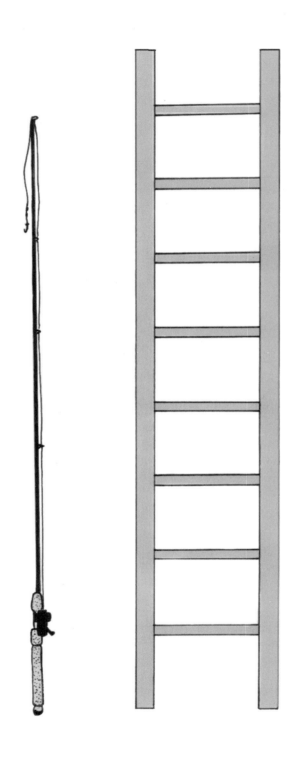

48. Canne et échelle

1. Demander à l'adolescent de décrire l'illustration à sa façon.

Pour aider l'adolescent à comprendre que certains objets sont différents par essence, de la même manière qu'il est lui-même, par nature, différent de tout autre.

2. Mettre en évidence la métaphore à exploiter.

> ▶ Demandez à l'enfant s'il y a une ressemblance entre les deux objets : il devrait arriver à la conclusion qu'il n'y en a pas vraiment. Sur cette base, discutez avec lui du fait que certaines choses sont différentes par leur nature ou leur fonction même et qu'il est tout à fait vain de tenter de leur trouver des points communs ou de s'attarder à ce qui les rend différentes. De même, il vaut mieux s'accepter tel que l'on est, sans essayer de se comparer aux autres ni évaluer à leur mesure notre propre individualité ; dans le cas contraire, on s'épuise à chercher des distinguos subtils et des similitudes cachées entre des êtres qui ne sont pas comparables.

3. Relier la métaphore à un problème auquel est confronté l'adolescent.

As-tu développé le réflexe de te comparer aux autres sur le plan scolaire, le plan physique, l'aspect financier ou celui des habiletés interpersonnelles ? Parviens-tu parfois à la même conclusion que celle de l'exercice, en voyant qu'il n'existe pas de réelles ressemblances entre toi et l'autre ? Sinon, que se produit-il quand tu te compares et fait ressortir les différences entre vous ? S'agit-il là parfois d'une expérience malheureuse ? Le jeune vous confiera peut-être que la comparaison crée quelquefois en lui un effondrement, un sentiment de ridicule, l'impression de ne pas valoir grand-chose : aidez-le à remettre en perspective ses propres forces, sans pourtant oublier ses faiblesses, en l'incitant à tracer un portrait plus fidèle de lui-même qui ne fait pas appel à des comparatifs comme « je suis plus… que X » ou « je suis moins … que Y ». Vous pourrez l'y aider en lui demandant : quelles sont tes forces ? tes faiblesses ? Qu'est-ce que tu trouves spécial en toi ?

Si le jeune est plutôt « canne à pêche », lui est-il déjà arrivé de vouloir être une échelle, en cherchant à imiter les traits de caractère de l'autre sans jamais parvenir à les intégrer vraiment ? En ayant reconnu qu'une canne à pêche ne peut matériellement devenir une échelle, ni une échelle une canne à pêche, l'adolescent devra reconnaître qu'il ne peut, ni physiquement, ni psychologiquement, devenir autre au point qu'il puisse ressembler désormais à la personne qu'il envie : il y a une marge importante entre le fait de travailler sur certains aspects de sa personnalité dans le but de les améliorer, en s'inspirant du modèle des personnes qu'il admire, et la volonté de nier une partie de soi-même pour lui en substituer une autre, tout à fait étrangère, qui n'appartiendra jamais à sa véritable nature.

49. Palmes

1. Demander à l'adolescent de décrire l'illustration à sa façon.

2. Mettre en évidence la métaphore à exploiter.

Pour aider l'adolescent à verbaliser son sentiment d'infériorité dans certains domaines de sa vie et pour lui permettre d'identifier les habiletés qui lui permettraient de progresser comme il le voudrait.

▸ Il est évident que, dans une course, le garçon qui porte les palmes est nettement avantagé, car il pourra se propulser plus rapidement et aura plus de chances d'arriver premier.

3. Relier la métaphore à un problème auquel est confronté l'adolescent.

Si l'adolescent auprès duquel vous intervenez se lie peu aux autres et éprouve de sérieuses difficultés à entrer en contact avec eux, à s'en faire des amis, demandez-lui s'il a tendance à penser que les autres portent des palmes alors qu'il n'en possède pas : se sent-il constamment dépassé parce que les autres possèdent certains avantages ou qualités ? Quels sont-ils ? Amenez-le à réfléchir au fait que quelques-uns ont pour ainsi dire des palmes naturelles (une constitution robuste particulièrement adaptée à la natation) tandis que d'autres ont acheté les leurs, c'est-à-dire qu'ils ont dû acquérir certaines qualités pour développer leur aisance dans l'eau : de la même manière, il lui est possible de développer des habiletés qui lui serviront de palmes et lui permettront de progresser dans sa pratique des relations interpersonnelles. Pour lui permettre d'identifier ces habiletés à acquérir, abordez avec lui les différents aspects de la communication, qu'il s'agisse de posture physique, d'accueillir les remarques des autres et d'y réagir adéquatement, de s'affirmer, etc.

Dans le domaine scolaire plus qu'ailleurs, puisque les résultats sont notés et que les évaluations déterminent les meilleurs et les moins bons, l'adolescent peut avoir la très nette impression que d'autres le devancent grâce à certaines de leurs forces, comme leur facilité de compréhension et la façon dont leur esprit fonctionne, qui leur permettent d'apprendre plus rapidement et d'assimiler adéquatement les notions qu'on leur enseigne. Selon le cas, interrogez le jeune pour savoir s'il possède des palmes qu'il ne porte pas. Certains détiennent effectivement le potentiel pour réussir mais décident de ne pas participer à la compétition, préférant demeurer au bord de la piscine à patauger ou se lançant dans la course sans porter leurs palmes, c'est-à-dire sans donner le meilleur d'eux-mêmes. Questionnez l'adolescent pour connaître les motifs de ce retrait volontaire et, selon le cas, tentez d'identifier avec lui les façons de désamorcer ses problèmes. Auprès d'autres adolescents, vous devrez plutôt travailler sur les manières d'acquérir des palmes qu'ils ne possèdent pas encore. Interrogez le jeune auprès duquel vous intervenez sur son désir de porter des palmes : voudrait-il progresser plus rapidement ? Admet-il que, dans ce cas, il faut au moins faire l'effort de mettre les palmes et d'apprendre à nager avec cet accessoire ? Vous pourrez lui suggérer différentes façons de s'en procurer et de devenir habile à la nage palmée, par exemple en développant une méthode de travail pour arriver à atteindre ses objectifs de réussite, en faisant des efforts plus constants, en respectant un horaire de travail, en refusant de se laisser déconcentrer, en allant chercher de l'aide pour mettre au point ou améliorer ses techniques d'apprentissage, en recevant plus d'encadrement, etc. Il est d'ailleurs possible que l'adolescent possède des palmes dans certaines matières, mais qu'il s'en sente dépourvu dans d'autres. Quelle différence y a-t-il entre les deux ? Comment se comporte-t-il à l'égard des matières pour lesquelles il a des palmes ? Pourrait-il exporter certains traits de ce comportement dans les matières où il n'arrive pas à avancer ?

Il est possible que des événements marquants comme un décès aient eu pour effet de faire disparaître les palmes du jeune dont toute la concentration est désormais consacrée à la gestion du choc psychologique de cette perte ou de cette épreuve. Vous pourrez rassurer l'adolescent sur le fait que ses palmes ne se sont pas évanouies, mais qu'elles seront de nouveau disponibles au moment où il aura surmonté certaines étapes de son deuil.

50. Vigne Vierge

50. Vigńe Vierge

Pour aider l'adolescent à vaincre ses appréhensions à l'égard de la « normalité » de son parcours.

1. Demander à l'adolescent de décrire l'illustration à sa façon.

2. Mettre en évidence la métaphore à exploiter.

   ▸ Une branche de vigne vierge qui ne parvient pas à accrocher ses vrilles à un support quelconque, comme le mur de la maison, poussera tout de même, mais en rampant plutôt qu'en s'élevant de la même manière que les autres.

3. Relier la métaphore à un problème auquel est confronté l'adolescent.

Certains adolescents se sentent dévalorisés lorsqu'ils considèrent le parcours que d'autres ont eu la chance de vivre en ayant les moyens de connaître plus d'expériences qu'eux (voyages, activités sportives, découvertes culturelles, etc.). Si c'est le cas de celui que vous rencontrez, faites-lui remarquer qu'il a lui aussi accompli un parcours, peut-être différent de celui des gens qui l'entourent ou qu'il fréquente, mais néanmoins tout aussi valable. Si sa tige de vigne a poussé au sol plutôt qu'en s'agrippant à la maison, elle a cependant poussé comme les autres, tout autant qu'elles, même si elle est moins haute, en développant des connaissances différentes. S'il désirait maintenant changer de direction et rejoindre les autres sur le mur, il le pourrait, au prix de quelques légères adaptations. Valorisez la richesse de son expérience, en faisant ressortir ce qu'il a acquis de différent des autres. Amenez-le à constater qu'il est plus facile de passer d'une situation peu aisée à une situation plus confortable, puisque le trajet apporte alors son lot de découvertes agréables, tandis que l'inverse est beaucoup plus décevant et difficile à vivre.

La métaphore pourra être utilisée auprès de l'adolescent qui, pour une raison ou une autre, a dû momentanément interrompre sa fréquentation scolaire (maladie, foyer d'accueil, etc.) et se dévalorise de n'avoir su ou pu suivre un parcours régulier. Dans ce cas, insistez sur la valeur de son cheminement ainsi que sur sa capacité à réintégrer le cycle régulier, au prix de quelques adaptations.

Vous pouvez aidez le jeune à désamorcer ses craintes quant à la difficulté de parvenir à intégrer le mur après sa période de croissance au sol : jusqu'à quel point appréhende-t-il ce retour ? Que craint-il le plus ? Que les autres ne lui fassent pas de place ? Dans ce cas, rassurez-le en lui rappelant qu'une vigne vierge trouve toujours à se nicher et à pousser, dans le plus minuscule interstice, qu'elle finit toujours par ancrer l'une de ses vrilles ; de la même manière, il possède la force et la souplesse nécessaires à son adaptation et à son nouvel enracinement. En dressant un inventaire de ses appréhensions, l'adolescent apprend déjà à les affronter : d'une part, vous pouvez le rassurer sur ses propres capacités à s'acclimater à un nouvel environnement, d'autre part, vous pouvez le diriger vers des outils qui lui permettront de réussir son adaptation ou sa réadaptation.

Un adolescent handicapé à la suite d'un accident porte souvent comme une croix l'impossibilité de réintégrer le même « mur » que les autres parce qu'il se déplace maintenant en fauteuil roulant. Bien que sa vision des choses ne soit pas totalement fausse (il est évident que certaines choses lui sont désormais impossibles), faites-lui valoir que ce n'est pas par leurs jambes ni par leur motricité que les plus grands esprits de l'humanité sont parvenus à accomplir leurs exploits, mais par leur attitude, leur intelligence du cœur et de l'esprit, leur détermination à réussir et à parvenir à atteindre leur but. Sur ce plan, il n'a rien à envier aux autres et il possède la capacité de faire son chemin tout autant qu'eux — comme d'autres, qui étaient dans la même situation que la sienne et qui ont réussi. Vous pouvez mettre en évidence le fait que, tout comme les vignes vierges ont une incroyable capacité d'adaptation, lui aussi, s'il choisit d'utiliser ses aptitudes personnelles, pourra s'adapter à sa nouvelle situation.

51. Prises électriques

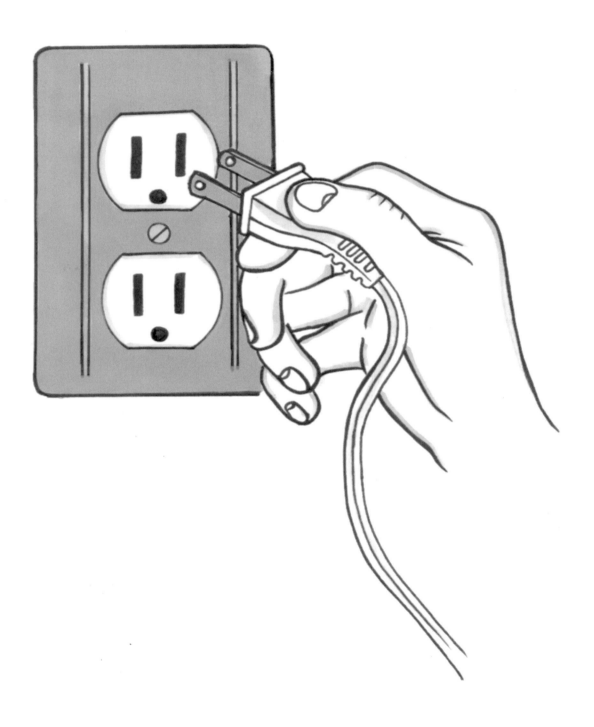

51. Prises électriques

1. Demander à l'adolescent de décrire l'illustration à sa façon.

Pour aider l'adolescent à identifier les sources d'énergie qui l'aident à se renouveler et celles qui épuisent inutilement ses réserves.

2. Mettre en évidence la métaphore à exploiter.

▸ Il existe plusieurs types de prises électriques (murales, de cuisinière) dispensant un courant alternatif. Le voltage est différent selon les pays (généralement 120 volts ou 240 volts en Amérique du Nord ; 220 volts en Europe), mais varie aussi en fonction de l'utilisation (en Amérique du Nord, le 120 volts est généralisé, mais la cuisinière et le sèche-linge requièrent 240 volts). Même si elles sont conçues pour distribuer de l'électricité dans la maison, il arrive que des prises ne fonctionnent pas bien, par exemple lorsqu'elles sont utilisées au-delà de leur capacité et que cette surcharge provoque un court-circuit dans la boîte électrique.

3. Relier la métaphore à un problème auquel est confronté l'adolescent.

À quel type de prise le jeune a-t-il l'habitude de s'alimenter quand il veut faire le plein d'énergie ? Certains adolescents auront tendance à se connecter sur les prises « drogue, sexe ou alcool », qui fournissent une intense dose d'énergie au moment du branchement ; toutefois, dès que la consommation cesse, le niveau d'énergie baisse radicalement et le jeune aura peut-être même ressenti un épuisement de ses réserves. Demandez-lui quelles ont été, selon son expérience personnelle, les conséquences à court, moyen et long terme de sa consommation de drogue ou d'alcool ou de sa compulsion aux relations sexuelles. Connaît-il d'autres sortes de prises qui pourraient régénérer ses énergies de façon plus continue et en profondeur, à court et long terme ?

Vous pouvez par ailleurs analyser avec l'adolescent son modèle habituel de relations interpersonnelles en lui demandant si, dans ses rapports amicaux ou amoureux, il ressemble plus à la prise (qui donne de l'énergie) ou à la fiche (qui vient la chercher). Soulignez au passage, selon les cas, qu'une relation vraiment équilibrée implique un échange, une réciprocité du don et de la réception d'énergie. Si la relation fonctionne à sens unique, et que le jeune donne constamment sans recevoir en retour, amenez-le à réaliser que ce type de rapport l'épuise lui-même et finit par consumer le sentiment d'amitié ou d'amour qui le relie à l'autre. En outre, en se laissant ainsi « vampiriser » ses ressources, il peut par ailleurs perdre le respect et l'estime que l'autre avait pour lui, alors que cet ami en vient à considérer qu'une telle disponibilité est tout à fait normale — et qu'il la mérite. Aidez-le à faire un inventaire détaillé de son entourage (famille, amis, connaissances), en identifiant les prises et les fiches dans chacune de ses relations, le type d'énergie qui circule entre lui et l'autre (une énergie de court terme ? de long terme ?), et abordez enfin le sujet de son degré d'autosuffisance. En effet, il s'agit d'une habileté extrêmement précieuse qu'il aurait tout intérêt à développer : par ses actions, ses décisions, ses comportements, il doit se constituer lui-même des réserves d'énergie, afin de ne pas dépendre des autres au point de devoir s'accrocher à eux. Une telle dépendance induit non seulement beaucoup de pression sur les autres (qui sentent l'ampleur de son besoin et auront alors tendance à le fuir), mais aussi une grande anxiété chez lui, dès qu'il se retrouve seul. Lui arrive-t-il de paniquer lorsqu'il est seul ? Par quels moyens pourrait-il développer une énergie autosuffisante ? Vous pourrez lui suggérer, parmi ces moyens, de cultiver une plus grande estime de lui-même et sa confiance en lui en faisant ce qu'il doit faire, en osant dépasser ses limites, en travaillant avec persévérance et acharnement. Par ailleurs, la teneur de ses pensées intérieures peut soit épuiser ou soit nourrir l'adolescent, selon le type de message qu'il s'adresse, d'autodestruction ou de support et d'encouragement. Enfin, le fait de privilégier certaines activités en solitaire (comme la marche, le vélo, la lecture, les mots-croisés, etc.), lui permettra de pouvoir s'appuyer sur un sentiment croissant d'autonomie et d'indépendance — et de choisir ses moments de solitude plutôt que de les subir.

52. Feux de bois

1. Demander à l'adolescent de décrire l'illustration à sa façon.

Pour aider l'adolescent à analyser comment il entretient ou éteint sa flamme, pour un projet, une passion ou un désir.

2. Mettre en évidence la métaphore à exploiter.

> Décrivez brièvement les types de combustibles (le papier, un matériau rapidement consumé ; les bûches, qui dégagent une énergie calorifique de long terme), en soulignant la présence de l'eau, qui sert évidemment à éteindre le feu. Faites enfin remarquer à l'adolescent que le feu de l'illustration connaît plusieurs états, tout d'abord bien entretenu, il se résume à quelques braises avant de ne laisser que des cendres et de mourir.

3. Relier la métaphore à un problème auquel est confronté l'adolescent.

Par rapport à tes passions, tes désirs, tes projets, à court, à moyen ou à long terme, quels sont tes premiers réflexes ? Alimentes-tu cette flamme avec des bûches bien sèches et lui donnes-tu plus d'ampleur, en allant chercher du support pour étoffer ton projet, en cherchant à voir comment il deviendra réalisable, en préparant déjà certaines étapes préliminaires ? Ne fais-tu qu'y penser de temps à autre, sans faire d'actions concrètes en vue de sa réalisation, en le laissant s'essouffler et mourir de lui-même ? L'éteins-tu complètement avec des pensées défaitistes, en te disant que tu te fais des idées, que ça ne peut pas fonctionner ? Pour un projet, une passion ou un feu, il n'y a au fond qu'une seule alternative entre deux possibilités : si des gestes concrets visent à le réaliser, il grandit, la flamme se maintient et il se réalise ; au contraire, en laissant les choses aller d'elles-mêmes, il s'éteindra fatalement. Plus encore, à force de laisser s'éteindre nos projets, notre flamme de créativité finit elle aussi par s'étioler, s'essouffler et mourir : on croit de moins en moins en soi et on ne ressent plus l'impulsion qui nous pousse à aller de l'avant.

Certains projets qui naissent de l'effet de groupe doivent être éteints dès les premières étincelles, car ils s'emballent rapidement : les idées d'actes délictueux, comme le vol ou le vandalisme, ou d'actes téméraires et irréfléchis, comme aller sur les glaces au dégel ou faire du *skate* en s'accrochant aux voitures, circulent rapidement parmi les membres du groupe et chacun s'encourage à aller de l'avant, n'osant pas s'interposer de crainte d'être ridiculisé et considéré comme peureux. Quel est le comportement du jeune en groupe lorsqu'une telle idée est lancée à la cantonade : se laisse-t-il emporter ? Ajoute-t-il lui même des bûches à l'engouement premier de ses camarades ou y jette-t-il un seau d'eau glacée ? Prend-il un peu de recul pour examiner le projet avec sa conscience, sa raison, son éthique personnelle ou se laisse-t-il consumer par cette énergie de groupe ? Pourrait-il avoir l'ascendant nécessaire pour refroidir les ardeurs des ses amis ?

La métaphore peut par ailleurs s'appliquer au décrochage scolaire, en comparant le feu au désir d'apprendre et de réussir. Demandez à l'adolescent d'associer sa flamme à l'un des états du feu de l'illustration : est-elle vivante ? braisée ? en cendres ? Un feu de braise, et même de cendres, peut être réactivé, à condition d'interrompre les attitudes « éteignoirs » (« ça ne donne rien, c'est ennuyant ») et d'y déposer d'abord un peu de papier, c'est-à-dire de petites actions : y a-t-il quelque chose qui lui plaît toujours à l'école ? Une matière ? Un professeur ? Les activités parascolaires ? Il pourra ensuite la nourrir avec des bûches plus consistantes, en consacrant du temps et de l'attention à ses devoirs et leçons, en s'impliquant davantage dans les activités proposées en classe, en participant activement aux exercices, en répondant aux questions, en développant une meilleure attitude envers ses professeurs, en les saluant, en respectant les règles de discipline qu'ils établissent, etc.

53. Baladeuse

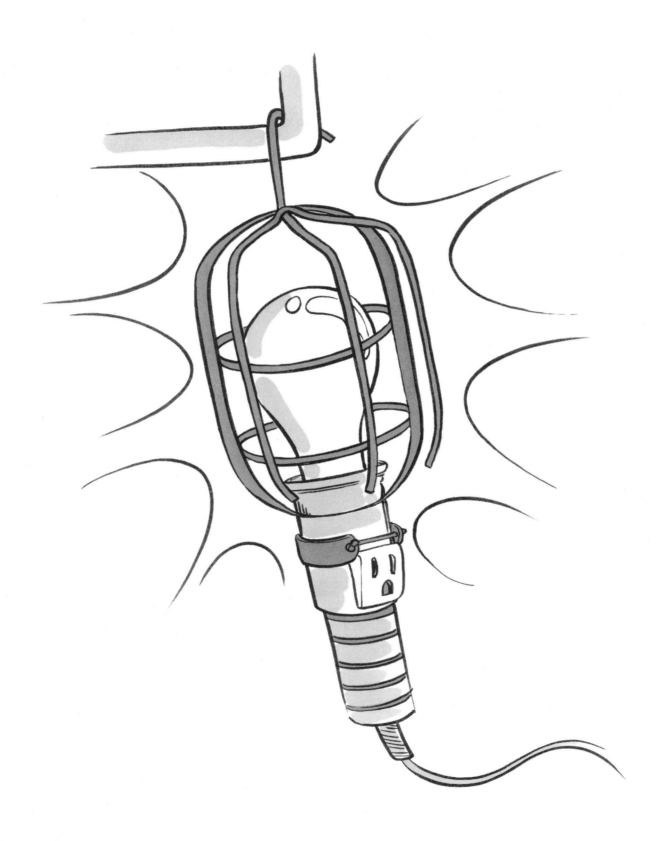

53. Baladeuse

1. Demander à l'adolescent de décrire l'illustration à sa façon.

2. Mettre en évidence la métaphore à exploiter.

Pour aider l'adolescent à s'interroger sur sa façon de faire la lumière en lui lorsque tout y est sombre et à reconnaître la nécessité ponctuelle de recourir à un support extérieur pour arriver à prendre des décisions plus éclairées, justes et satisfaisantes.

▸ Si nécessaire, expliquez à l'adolescent les avantages que procure une baladeuse, qui permet d'aller éclairer des zones autrement inaccessibles à la lumière.

3. Relier la métaphore à un problème auquel est confronté l'adolescent.

Le jeune se sent plutôt dépourvu lorsque vient le moment de prendre certaines décisions lourdes de conséquences, comme quand il se sent partagé entre sa loyauté envers celui qui se confie à lui et sa volonté de le secourir en allant chercher de l'aide. Qu'il s'agisse d'un ami qui projette de se suicider, d'une amie enceinte qui a décidé d'interrompre sa grossesse, d'une personne qui lui avoue avoir commis un vol ou consommé de la drogue, etc., l'adolescent reçoit cette détresse sans savoir ce qu'il doit en faire et son dilemme entre garder le silence et se confier à son tour à quelqu'un d'autre pour trouver des solutions et lutter contre son impuissance le plonge dans le brouillard. D'autres situations peuvent assombrir l'esprit de l'adolescent et nécessiter l'intervention d'une baladeuse (l'avis d'un adulte), comme le divorce des parents, les mauvais coups qu'il a commis peut-être sans réfléchir, les dettes qu'il a contractées, les menaces qu'il a reçues s'il révélait un secret, etc. Dans l'un ou l'autre cas, intervenez auprès de l'adolescent en lui faisant tout d'abord exprimer son sentiment de déchirement, en l'amenant à comprendre que, de lui-même, il ne parviendra pas à voir clair dans cette situation et demeurera dans l'obscurité. Vous pourrez ensuite lui présenter la solution de la baladeuse, c'est-à-dire d'aller chercher une source de lumière extérieure en se confiant à quelqu'un qui soit capable de lui apporter une réponse, une personne nécessairement adulte, en qui il a confiance et qui possède l'expérience et les connaissances nécessaires pour évaluer la situation et suggérer des solutions concrètes.

Même si le jeune ne concède pas en avoir besoin, mais que vous sentez que ses problèmes en requièrent une, il pourra s'avérer utile et rassurant (pour vous comme pour lui) de dresser avec lui une liste des baladeuses qui lui sont accessibles : intervenant du CLSC, intervenant scolaire ou parascolaire, oncle ou tante, cousin ou cousine plus âgé(e), ami ou amie de la famille, etc.

Les adolescents se culpabilisent parfois d'avoir fait preuve d'incompétence dans la gestion d'une situation pénible. Pour diminuer ce sentiment et lui insuffler une meilleure compréhension de ses réactions, utilisez ces questionnements : lui est-il déjà arrivé de se retrouver en pleine obscurité sans baladeuse ? Demandez-lui d'imaginer ce qui aurait été différent s'il en avait eu une sous la main en cette occasion : aurait-il été plus rapidement éclairé sur la nature des événements qui survenaient ? Cela l'aurait-il soulagé, libéré d'un poids ? Insistez bien sur le fait que, dans les circonstances, en l'absence d'une personne « éclairante », il était tout à fait normal de ressentir beaucoup d'anxiété : ce sentiment n'est pas dû à une incapacité de sa part, mais est lié au fait qu'il n'était pas prêt à affronter seul une telle situation.

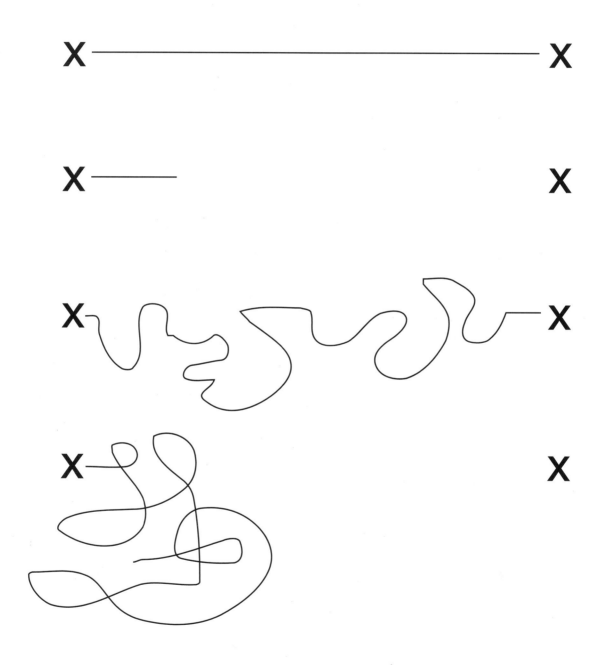

54. Lignes

1. Demander à l'adolescent de décrire l'illustration à sa façon.

> *Pour aider l'adolescent à identifier les chemins qu'il emprunte habituellement lorsqu'il doit accomplir une tâche ou qu'il vise un objectif.*

2. Mettre en évidence la métaphore à exploiter.

▸ Discutez avec l'adolescent des pertes de temps et d'énergie qu'impliquent les trajets courbes ou hachurés, en faisant ressortir que les chemins tortueux font perdre de vue l'objectif initial.

3. Relier la métaphore à un problème auquel est confronté l'adolescent.

Quel parcours suis-tu lorsque tu as quelque chose de difficile à dire à quelqu'un ? En général, les adolescents empruntent le trajet sinueux (comme plusieurs adultes d'ailleurs !) et arrivent en bonne majorité à lancer leur message. Bien que la ligne droite soit préférable, faites néanmoins réfléchir l'adolescent auprès duquel vous intervenez sur chacune des stratégies illustrées, en lui demandant de trouver des exemples dans ses expériences interpersonnelles auprès de ses amis, ses parents, ses professeurs : peut-il associer des parcours précis aux différentes informations qu'il désirait leur transmettre ? Dans des situations délicates ? Pour faire un compliment ? Lorsqu'il s'agit de négocier ? S'agit-il toujours de stratégies de communication efficaces ? Devrait-il en modifier quelques-unes ?

Vous pouvez par ailleurs recourir à cette métaphore si vous percevez que l'adolescent tente de vous dire quelque chose en empruntant la voie la plus détournée ; suggérez-lui d'utiliser la ligne droite, puisqu'il a déjà toute votre attention et que celle-ci constitue toujours la façon la plus efficace de communiquer, sans perte de temps, d'énergie et surtout sans ambiguïté et tout en préservant une dimension respectueuse à la discussion.

Il est possible également que le jeune ignore comment faire usage du chemin le plus court : vous devrez alors le lui démontrer par l'exemple et pourrez en outre lui suggérer de lire *S'affirmer et communiquer* de Jean-Marie Boisvert et Madeleine Baudry, un ouvrage où il trouvera des conseils sur la façon de communiquer ce qui se dit difficilement, qu'il s'agisse de sujets graves et délicats ou de marques d'appréciation.

La métaphore vous permettra d'évaluer avec l'adolescent ses méthodes de travail. Devant un exercice ou un travail difficile à exécuter, prend-il le chemin le plus court, en se concentrant immédiatement sur sa tâche sans se laisser distraire, afin de la terminer le plus rapidement et le mieux possible ? Ou retarde-t-il constamment le moment de se mettre à l'œuvre, en tournant autour, en trouvant autre chose à faire, en téléphonant aux amis, en laissant voguer son imagination le plus loin possible ? Éprouve-t-il la même répugnance pour tous ses travaux, des plus faciles aux plus difficiles ? Qu'est-ce qui lui permettrait de terminer plus rapidement ses travaux et de libérer le plus de temps de loisir pour les activités qu'il aime vraiment faire ?

Pour faire ressortir l'importance de cultiver de bonnes habitudes de travail, expliquez au jeune que ce qu'il fait actuellement est comparable au pli d'un pantalon qu'on achète : quoi qu'on fasse par la suite, le pli est formé et, même si on le repasse à plat, il finit toujours par réapparaître. De la même manière, sa façon d'apprendre et de se dédier à son travail au cours de ses années de formation détermine le pli qui marquera sa vie active : préférerait-il s'assurer de nombreuses années de facilité, d'aisance et de plaisir à travailler ou cultiver une impression d'inutilité et une répugnance profonde pour ce qu'il fait de sa vie?

55. Boomerangs

1. Demander à l'adolescent de décrire l'illustration à sa façon.

2. Mettre en évidence la métaphore à exploiter.

Pour aider l'adolescent à prendre conscience que les pensées qu'il entretient lui reviennent tôt ou tard et en concrétisent leur sens initial — d'où la nécessité d'épurer et de filtrer ses discours intérieurs.

> ▸ Insistez sur le fait que le boomerang revient toujours à son point de départ, mais qu'il prend de la vitesse en tournoyant dans les airs et arrive donc plus rapidement qu'il n'est parti. Comme l'indique l'illustration, plusieurs modèles et dimensions sont disponibles, mais un boomerang, quelles que soient sa forme et sa couleur, retrouve toujours son point d'origine. Enfin, pour pouvoir y jouer avec plaisir, il faut développer certaines habiletés minimales, en apprenant non seulement à lancer l'objet (force et angle d'impulsion), mais également à le rattraper à son retour.

3. Relier la métaphore à un problème auquel est confronté l'adolescent.

Sans nous en rendre compte, nous possédons le plus performant des boomerangs dans notre cerveau : les pensées que l'on entretient et lance, à l'égard de nous-même, de notre avenir, de nos relations avec les autres, constituent les premiers éléments de notre avenir, qui se concrétise selon la direction que nous avons donnée à ces « idées boomerang ». De même que l'on doit apprendre à se servir d'un boomerang, on doit se familiariser avec cette force mentale afin qu'elle puisse contribuer à la matérialisation de l'avenir que nous espérons connaître. Nos pensées intérieures peuvent être issues de deux sources : soit des discours de personnes significatives auxquelles nous accordons de l'importance et dont nous adoptons les jugements, les critiques, les commentaires qu'ils ont pu formuler à notre sujet, soit de notre propre vision des choses. Dans un cas comme dans l'autre, nous ne sommes jamais obligés de subir ces pensées et de nous y soumettre si elles ne nous semblent pas constructives ; il est possible de les transformer ou de leur substituer des pensées plus productives pour notre progression.

Lorsqu'il pense à sa confiance en lui, à sa capacité à faire les choses et à relever des défis, quels sont les boomerangs que le jeune envoie ? « Je laisse les autres le faire parce que j'en suis incapable » ? « Je n'y arriverai jamais, il est donc inutile de commencer » ? « Ça me fait trop peur, j'aime mieux ne même pas essayer » ? Il importe particulièrement, pour l'efficacité de cet exercice, de préciser le plus concrètement possible l'identité des voix ainsi que la teneur des discours intérieurs et des attitudes mentales que le jeune tend à déployer pour faire face à ses difficultés ; vous pourriez ensuite l'aider à modifier, si nécessaire, ces voix, discours et attitudes afin qu'ils puissent agir comme des boomerangs qui lui apporteront confiance en lui et succès.

La métaphore permettra d'illustrer clairement que l'intérêt et la réussite scolaires de l'adolescent sont directement reliés au boomerang qu'il envoie à l'école, à ses cours, aux professeurs. Aidez-le à identifier ses discours intérieurs sur l'école et à évaluer leurs conséquences, en analysant ses pensées et son attitude première en regard des petits échecs ou des petites réussites de son quotidien. Lorsqu'il se réveille le matin et se prépare à partir, lorsqu'il entre en cours, ses boomerangs sont-ils positifs ou négatifs ? S'ils sont positifs, quels effets produisent-ils ? Et dans le cas contraire, quels résultats obtient-il ? Le cas échéant, suggérez-lui des formulations plus performantes pour soutenir son intérêt et son plaisir à fréquenter l'école.

56. Épicerie

1. Demander à l'adolescent de décrire l'illustration à sa façon.

2. Mettre en évidence la métaphore à exploiter.

> *Pour aider l'adolescent à comprendre qu'il s'avère parfois nécessaire d'aller chercher les ingrédients, les instruments dont il a besoin pour atteindre ses objectifs — sur les plans personnel, professionnel, social ou autre — là où ils sont disponibles, tout en s'assurant de sélectionner la meilleure qualité.*

▸ Pour assurer notre survie, il est nécessaire de nous réapprovisionner en aliments sur une base régulière : en général, nous n'achetons pas n'importe quoi, mais évaluons selon divers critères de sélection la marque du produit qui affiche le meilleur rapport qualité/prix. Selon nos besoins, nous nous dirigeons dans différents rayons de l'épicerie ou vers d'autres magasins spécialisés (comme à la quincaillerie pour chercher des outils). Faites enfin remarquer à l'adolescent que plus l'objet que nous voulons acquérir est important, plus nous prenons le temps de comparer les prix d'un magasin à l'autre, afin de nous assurer de trouver ce qu'il y a de meilleur sur le marché.

3. Relier la métaphore à un problème auquel est confronté l'adolescent.

Les mots qui nous viennent à l'esprit, comme les premiers produits qui nous sautent aux yeux en arrivant dans une allée, ne sont pas nécessairement les plus appropriés : certains mots, certaines expressions ou façons de dire qui sont acceptées et agissent comme des signaux de reconnaissance entre amis seront perçus comme étant agressants et irrespectueux pour d'autres (professeur, parent, personne de l'autre sexe). Voyez avec l'adolescent s'il sait sélectionner le niveau de langage et moduler le ton de ses interventions selon la personne à qui il s'adresse : maîtrise-t-il plus d'un registre de langage, de façon à pouvoir s'adapter à tous ? En ce domaine comme en alimentation, il faut savoir varier et développer tous les goûts.

Sais-tu où tu peux magasiner pour enrichir ta personnalité, ta confiance en toi et ton estime de toi ? Le fait de suivre des cours de musique ou en langue étrangère, ou de t'impliquer auprès du Conseil étudiant peut-il enrichir ta personnalité ? Pour te nourrir intérieurement, où peux-tu aller chercher ce dont tu as besoin ? Sais-tu t'entourer de personnes stimulantes, qui vont t'inciter à te réaliser ou au contraire de personnes qui provoquent toujours des problèmes ? Faites réfléchir l'adolescent sur les regrets que suscitent généralement ses achats impulsifs, ceux qu'il fait sur un coup de tête sans avoir vraiment besoin de cet objet ou encore ceux qu'il fait trop rapidement, sans avoir comparé les prix : non seulement il a alors l'impression de s'être trompé sur la marchandise, mais encore n'a-t-il plus d'argent pour acheter ce qui correspondrait le mieux à son désir. De la même manière, en fréquentant des amis qui, pour toutes sortes de raison, provoquent des complications, il perd de l'énergie à regretter de s'être laissé entraîner dans des situations qu'il ne voulait pas connaître et, tout occupé à récupérer les événements, à se disculper ou à trouver des excuses pour ses agissements, n'a plus le temps de nouer des relations plus saines auprès d'autres personnes.

Il faut bien prendre garde à la façon dont on dépose les produits d'épicerie dans notre panier et dont on les emballe après les avoir payés : placer les fruits au fond et les conserves sur le dessus abîmera nécessairement les premiers. De la même manière, l'adolescent sait-il classer les ingrédients qu'il possède selon une disposition favorable à la réalisation de ses objectifs ? Par exemple, sa détermination est-elle utilisée pour progresser sur le plan scolaire ou pour écraser sa vie de famille en faisant systématiquement obstruction à ses parents ? Sa ténacité est-elle mise à profit lorsque vient le moment de réussir dans une matière difficile, de nouer les relations qu'il souhaite développer ou plutôt pour briser la communication avec les personnes qui ont autorité sur lui en s'opposant à elles ?

La sélection des amis peut également être abordée à l'aide de cette métaphore : choisit-il le premier qui se présente sur les rayons ? Prend-il au contraire le temps de trouver la personne qui s'avérera la plus stimulante et qui lui permettra de se réaliser, de se sentir bien, apprécié et estimé ?

57. Météo

1. Demander à l'adolescent de décrire l'illustration à sa façon.

2. Mettre en évidence la métaphore à exploiter.

Pour aider l'adolescent à mieux comprendre, gérer et exprimer, à l'aide de différents symboles, ses états intérieurs selon les circonstances de sa vie.

▶ Prenez le temps de vérifier auprès de l'adolescent sa connaissance des symboles météorologiques, puis demandez-lui s'il en préfère certains et quels sont ses sentiments à l'égard des autres. Vous pouvez ensuite l'interroger sur leurs conséquences : à l'annonce d'une tornade, par exemple, quelles sont les mesures qu'il doit prendre pour se mettre à l'abri du danger et passer tout de même une bonne journée ?

3. Relier la métaphore à un problème auquel est confronté l'adolescent.

Entre lesquels de ces symboles oscillent ses états intérieurs, ses humeurs ? Détaillez avec lui un moment particulier où ses sentiments ressemblaient à chacun d'entre eux : l'ennuagement lui fait penser à quel événement ? Comment peut-il le prévoir ? Lorsqu'il sait qu'il rencontrera telle ou telle personne ? Lorsqu'il pressent un échec ? Faites-lui définir les déclencheurs et signes précurseurs de ses ennuagements, puis de ses dégagements et éclaircies. Voyez ensuite comment se déroulent ses journées nuageuses : quels en sont les effets sur son entourage ? sur sa productivité ? Comment réagit-il face aux autres au cours de ces périodes plus sombres ? Et par rapport à lui-même, quels sentiments et réactions entretient-il ? Idéalement, chacun des symboles devrait faire l'objet de la même attention et devrait être relié à des événements précis puis analysé sur le plan des conséquences pour lui-même et son entourage. Voyez ensuite s'il lui serait possible d'éviter les symboles qui lui causent le plus de problèmes et de malaise (en tenant toutefois compte du fait qu'il est impossible d'échapper à ces journées moins ensoleillées) et comment il pourrait favoriser l'avènement de meilleures conditions climatiques.

Au cours des journées nuageuses et pluvieuses, y aurait-il des façons d'éviter que tes orages n'atteignent les personnes importantes de ton entourage, tes parents, tes amis ? Connais-tu des stratégies pour atténuer les remous de ta météo personnelle ? Insistez sur la nécessité de reconstruire ce qui a été détruit par les éléments, y compris son estime personnelle qui s'appauvrit lorsque le jeune perd le contrôle de lui-même. En revanche, en jugulant le déchaînement des « forces de sa nature », il pourra lui être possible d'épargner ses foudres aux autres et de devoir réparer par la suite.

Vous pouvez également lui remettre, avant son départ, une reproduction des symboles qu'il préfère et lui souhaiter de pouvoir vivre de plus en plus de ces journées où il se sent bien. En tant que parent, vous pourrez par ailleurs afficher ces symboles sur le réfrigérateur ou dans sa chambre, afin de maintenir la complicité de votre discussion et de favoriser la mise en œuvre de ses stratégies de beau temps.

58. Escalier

1. Demander à l'adolescent de décrire l'illustration à sa façon.

2. Mettre en évidence la métaphore à exploiter.

Pour aider l'adolescent à décomposer en sous-étapes les différents apprentissages et cheminements qu'il doit accomplir et à évaluer la performance des stratégies qu'il utilise pour parvenir au but qu'il s'est fixé.

▸ Même si les efforts à consentir sont importants, chacun a la capacité de franchir les étapes qui le mènent à son but, à condition de grimper une marche à la fois et de persévérer en investissant les efforts nécessaires à la réalisation de son projet. Il est impossible de parvenir tout en haut de l'escalier à moins d'avoir monté les marches une par une.

3. Relier la métaphore à un problème auquel est confronté l'adolescent.

Devant les exigences de certains cours, l'adolescent pourra avoir l'impression de se situer au pied d'un escalier à première vue insurmontable. L'utilisation de la métaphore permettra de lui redonner espoir en comparant les deux façons de considérer l'escalier, soit en ne voyant que le palier supérieur, si long à atteindre, soit en découpant le trajet en plusieurs petites étapes, en s'attaquant à une marche à la fois. Quelle est la vision du jeune ? Voit-il son cheminement au jour le jour, en faisant ses travaux, ses exercices, préparant ses révisions d'examen quelques jours à l'avance ? Ou au contraire attend-il à la dernière minute et doit-il franchir une volée de dix marches en une seule journée, en se sentant complètement dépassé par les événements ? Faites valoir auprès de l'adolescent que la philosophie des petits pas et d'une marche à la fois permet d'atteindre avec une relative facilité des buts qui peuvent sembler *a priori* lointains et difficiles à atteindre.

Les présentations orales génèrent habituellement beaucoup d'anxiété : la majorité d'entre nous craint de prendre la parole devant un groupe, alors que certains surmontent cette peur avec plus d'aisance. Expliquez à l'adolescent qu'il existe en fait des étapes préliminaires qui peuvent le préparer à donner sa pleine mesure lors de sa performance : tout d'abord, il s'agit de bien développer le contenu de sa présentation, en s'assurant qu'il soit intéressant puis de s'exercer en cherchant à atteindre le ton de voix le mieux approprié ainsi qu'une posture physique stable et assurée, de répéter devant un miroir ou un ami en qui il a confiance et qui pourra lui donner des commentaires constructifs. Il peut également s'efforcer d'entretenir mentalement des scénarios positifs de sa présentation, se voyant réussir son exposé avec brio. Ces efforts lui permettront de le préparer efficacement à franchir la dernière marche.

Certains adolescents appréhendent de s'éloigner de leurs parents, lors de voyages organisés par l'école, d'invitations à passer quelque temps chez des cousins ou cousines ou d'absences plus ou moins prolongées des parents eux-mêmes (séjour à l'hôpital ou à l'extérieur de la ville). Si c'est le cas de l'adolescent que vous aidez, vous pouvez l'amener à apprivoiser graduellement le détachement, en franchissant une marche à la fois, en lui proposant de faire d'abord de courts séjours à l'extérieur du foyer (une nuit chez un ami ou chez les grands-parents) tout en s'assurant de demeurer en contact téléphonique avec ses parents et en se reposant sur la confiance qu'il éprouve pour la personne qui le reçoit. Insistez bien sur le fait que l'autonomie et l'indépendance se développent progressivement, qu'elles résultent de plusieurs petites victoires qui nourrissent sa confiance en lui et lui permettent de se réaliser davantage à chaque pas.

La métaphore peut évidemment être développée dans la perspective d'un projet de longue haleine, qu'il s'agisse d'apprentissages musicaux, linguistiques ou sportifs. Demandez à l'adolescent, en partant du principe que le palier supérieur représente une maîtrise totale de cette habileté à laquelle il s'exerce, à quel niveau il estime se situer actuellement. Vous lui permettez ainsi de constater qu'il a déjà franchi plusieurs marches, ce qui constitue un solide renforcement et une sérieuse motivation à poursuivre sa pratique de cette activité. Il pourra ainsi mieux définir les prochaines étapes de sa montée.

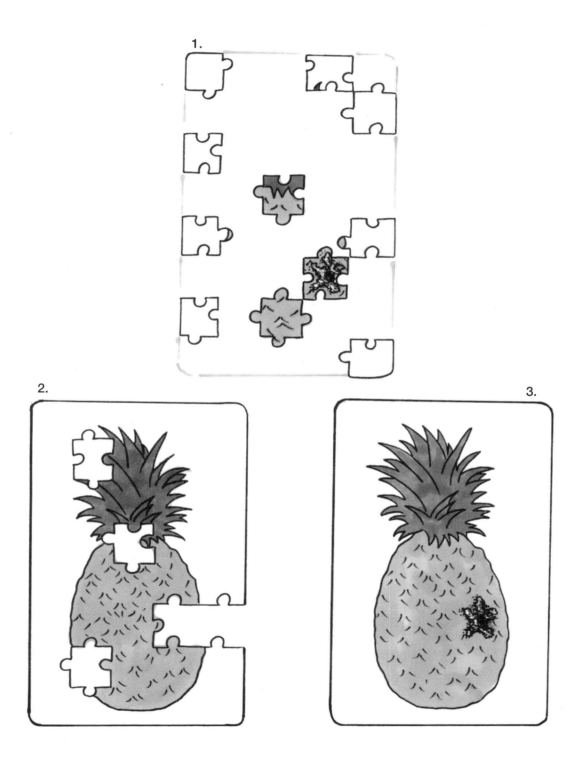

59. Pièces manquantes

1. Demander à l'adolescent de décrire l'illustration à sa façon.

Pour aider l'adolescent à comprendre qu'il complète parfois dans sa tête les faits manquants d'une situation, qu'il interprète alors d'une façon erronée.

2. Mettre en évidence la métaphore à exploiter.

▸ Présentez une à une chacune des parties de l'illustration, à commencer par le numéro 1, en demandant à l'adolescent s'il lui est possible de prévoir le résultat final. Montrez-lui ensuite l'ananas auquel il manque cinq pièces (numéro 2), en lui demandant cette fois s'il semble y avoir quelque chose de particulier chez ce fruit : il n'aura probablement pas détecté, parmi les pièces détachées de la première partie qui lui sont maintenant cachées, que certaines portent des traces de pourriture. Enfin, l'image complète montre clairement que l'ananas est grièvement attaqué par la décomposition, au point qu'une grande portion du fruit ne soit pratiquement plus comestible.

3. Relier la métaphore à un problème auquel est confronté l'adolescent.

T'arrive-t-il parfois de ne pas comprendre la signification des réactions des autres ? Dans ces cas, as-tu tendance à dégager toi-même le sens de cette réaction, sans avoir pris la peine de vérifier toutes les « pièces » ? Accordes-tu à l'autre le temps de t'expliquer son attitude ou encore l'interroges-tu pour en connaître les raisons ? En dépit du fait que l'intuition permette à certains de détecter avec beaucoup de sensibilité les motifs sous-jacents des comportements des autres, démontrez à l'adolescent qu'un seul petit détail manquant peut modifier radicalement le portrait entier d'une scène entre deux personnes. Indiquez à l'adolescent des stratégies qui lui permettent d'aller chercher les pièces manquantes d'une situation pour éviter de sauter trop rapidement aux conclusions. En général, l'une des méthodes les plus efficaces pour rétablir la communication est de donner d'abord sa propre hypothèse, de proposer sa propre interprétation afin de tendre une perche à l'autre (en choisissant ses mots) : « lorsque tu es parti la dernière fois, je me suis senti mal à l'aise : j'avais l'impression que tu étais fâché contre moi parce que tu étais agressif et distant en partant… Est-ce que c'est bien ce que je pense ou il y a autre chose que tu n'osais pas me dire ? » L'ami pourra se sentir plus à l'aise de confier ce qu'il vivait à ce moment-là puisque le jeune aura d'abord ouvert son jeu et se sera lui-même livré en toute confiance.

Lorsque survient un événement tragique dans leur vie, les adolescents (comme les adultes et les enfants) ont tendance à spéculer de façon négative sur l'issue ou l'évolution de cette situation dramatique. Vous pouvez d'abord intervenir en précisant qu'un tel événement se révèle déjà suffisamment difficile et qu'il ne l'allège pas avec ses « pièces » ou ses interprétations qui intensifient encore son caractère pénible et douloureux. Mieux vaut accepter de vivre avec un casse-tête auquel il manque des morceaux, qui viendront s'ajouter plus tard, en temps et lieu, plutôt que d'imaginer les pires scénarios pour remplir les espaces vides. Vérifiez auprès de l'adolescent ses réflexes naturels devant l'incertitude : ajoute-t-il au tableau de bonnes pièces ou de mauvaises pièces ? Ne considère-t-il que les virtualités les plus négatives ? Surcharge-t-il au contraire leur aspect positif en ignorant volontairement les écueils de la réalité, en escamotant les pièces existantes pour les remplacer par des pièces dorées ? Cette métaphore serait sans nul doute très efficace auprès d'une jeune fille qui s'apprête à devenir mère, dans des conditions difficiles qu'elle ne veut pas reconnaître : quels sont les moyens financiers dont elle dispose réellement pour élever son enfant ? Réalise-t-elle vraiment l'implication et l'abnégation qu'exige un jeune bébé au quotidien ?

60. Glace

60. Glace

1. Demander à l'adolescent de décrire l'illustration à sa façon.

Pour aider l'adolescent à comprendre que certains comportements rigides ou certaines émotions inconfortables demeurent en leur état ou s'assouplissent selon ce qu'il choisit de faire ou la façon dont il préfère les considérer.

2. Mettre en évidence la métaphore à exploiter.

▸ Soulignez que la glace demeure en son état initial ou fond selon le lieu où elle est conservée.

3. Relier la métaphore à un problème auquel est confronté l'adolescent.

En cas de conflit avec un parent ou un ami, le ressentiment agit comme la glace, qui refroidit les rapports entre les gens et rend tout geste de rapprochement beaucoup plus difficile. Comment l'adolescent réagit-il dans ce type de situation ? Déploie-t-il des comportements « congélateurs », qui vont maintenir ce conflit ? Est-il capable de déposer la glace sur le comptoir, en favorisant les rapprochements par des « attitudes cadeaux » (acte de gentillesse, petit service, délicatesse, soit des actes non verbaux qui n'exigent pas de réponse) ? Ou encore, est-il du genre à ouvrir l'élément de la cuisinière pour faire fondre la glace rapidement, en allant directement discuter de la situation avec l'autre et en communiquant vraiment avec lui ? Parmi les façons les plus efficaces de faire fondre la glace, il y a tout d'abord le fait de concéder sa propre responsabilité dans la situation (même si on est persuadé que nous avons tort à 1 % et l'autre à 99 %) pour ensuite reconnaître les émotions que l'on a fait naître chez l'autre (déception, tristesse, colère) et enfin suggérer une façon de résoudre le conflit, en s'engageant par exemple à ne plus utiliser certains mots ou expressions, à ne plus lancer d'accusations gratuites, bref, à corriger la situation en fonction de ce qui a blessé l'autre. Vous pourrez insister sur la nécessité de faire fondre la glace en expliquant au jeune qu'en laissant les choses telles qu'elles sont, dans le congélateur, il y perd une grande partie de son énergie qui ne peut être utilisée pour autre chose. En outre, si l'eau congelée se résorbe avec le temps et rétrécit d'elle-même, il demeure toujours une odeur et un goût désagréables, sans compter que la glace est encore plus compacte : de la même manière, tant que le conflit ne se règle pas, tant que les parties concernées n'en discutent pas et ne vident pas la question, il demeure un malaise omniprésent entre elles, qui finit par induire plus de rigidité encore. Discutez avec le jeune de situations concrètes où il a utilisé l'une et l'autre de ces méthodes et aidez-le à en évaluer les conséquences.

Lorsqu'un adolescent ressent un malaise, résultant d'une timidité, d'une culpabilité ou d'une jalousie, le garde-t-il pour lui-même en le déposant intact au congélateur ? Le laisse-t-il fondre sur le comptoir, en adoptant des comportements qui lui permettent de dépasser peu à peu son sentiment initial (par exemple, s'il s'agit de culpabilité, en tentant d'esquisser un geste réparateur) ? Le dissout-il rapidement, en allant parler directement à des personnes qui pourront le dégager de ce sentiment, des amis ou des adultes en qui il a confiance ? Faites-lui décrire ses stratégies naturelles et voyez avec lui s'il y a lieu de les modifier pour éviter de laisser persister ce type de sentiment qui provoque en lui de l'inconfort.

61. Pont

1. Demander à l'adolescent de décrire l'illustration à sa façon.

2. Mettre en évidence la métaphore à exploiter.

Pour aider l'adolescent à développer son sens de la responsabilisation dans les conflits où il est impliqué et l'aider à mieux négocier lorsque vient le temps de concilier les opposés, qu'il s'agisse d'opinions, de personnes ou d'objectifs.

▸ Un pont relie deux territoires, deux espaces, en favorisant les échanges d'une rive à l'autre d'une façon qui permette d'économiser beaucoup de temps et d'énergie — comparativement à ce qu'exigeraient la descente des parois du ravin, la traversée de la rivière à la nage ou en canot puis l'escalade de la remontée. En outre, lorsque l'on traverse le pont, le panorama est souvent spectaculaire, sans compter que la structure même de cette architecture est en elle-même fort impressionnante.

3. Relier la métaphore à un problème auquel est confronté l'adolescent.

Un conflit entre l'adolescent et un ami, un frère, une sœur ou un professeur peut provoquer une situation d'opposition tranchée qui paraît infranchissable à l'un et l'autre. Si c'est le cas de l'adolescent auprès duquel vous intervenez, amorcez la discussion en lui demandant s'il a l'impression que lui-même et son actuel rival sont aussi éloignés l'un de l'autre que deux rives isolées, sans pont pour leur permettre de communiquer entre elles. Faites-lui voir que son conflit ne l'oppose pas simplement à une autre personne, mais qu'il se coupe également de tout un territoire, soit le réseau de la personne pour laquelle il nourrit cette inimitié, soit encore tout individu qui ressemble à celle-ci, psychologiquement ou même physiquement, et dont il s'éloigne inconsciemment.

De la même manière qu'un pont constitue un défi d'ingénierie dont les résultats suscitent l'admiration, la négociation lors d'un conflit s'avère également une démarche délicate à entreprendre et à mener à terme dont les résultats, en cas de succès, sont unanimement reconnus et soulignés. En effet, même les partisans de la solution de chacune des deux rives isolées (qui n'entrent pas en contact et maintiennent leurs positions) reconnaîtront le courage et l'humilité de celui qui esquisse les approches de conciliation. Le jeune se sent-il capable de construire un pont ? Saurait-il le faire en abandonnant l'idée qu'il doive nécessairement se construire simultanément des deux côtés ? Il est rare, en effet, que les deux parties soient également mûres et déterminées à résoudre le problème en même temps. Si l'adolescent proteste qu'il ne sert à rien d'édifier un pont si l'autre rive ne participe pas à la construction, vous pouvez lui faire remarquer que l'existence d'un pont n'oblige personne à l'emprunter : si l'autre ne désire pas avancer sur cette structure d'association, cela n'enlève rien au fait que celui qui l'a construite accède à un nouveau territoire. Une bonne manière d'entamer cette construction est, en cas de blocage net et de refus de l'autre de négocier, de lui écrire ces excuses qu'il ne veut pas entendre, en respectant les trois phases suivantes : reconnaître ses torts, reconnaître les sentiments de l'autre et suggérer une meilleure façon de faire. Que l'autre reçoive ou non ce message, qu'il en tienne compte ou décide de l'ignorer, celui qui a pris sur lui de présenter ses excuses en sort valorisé et son estime de soi en est renforcée.

L'adolescent cultive-t-il des pensées qui l'empêchent de développer des ponts vers l'autre, qu'il s'agisse d'un ami ou d'un parent ? Des réflexions comme « il est plus vieux que moi, c'est à lui de commencer », « c'est celui qui part la bagarre qui doit faire le pont » ou « il l'a fait exprès et devrait réparer » viennent court-circuiter sa volonté d'agir sur le problème pour le régler. Dans votre discussion, amenez le jeune à prendre conscience qu'il est beaucoup plus constructif, pour lui-même, de se responsabiliser et d'enclencher le processus de réconciliation : agir sur une situation s'avère toujours plus stimulant que de la subir.

62. Remorqueuse

1. Demander à l'adolescent de décrire l'illustration à sa façon.

2. Mettre en évidence la métaphore à exploiter.

Pour aider l'adolescent à devenir pleinement conscient de ses comportements « remorqueurs » envers les autres et l'amener à faire plus aisément appel à des remorqueurs lorsqu'il tombe en panne et aurait besoin de recevoir du support, du soutien et de la compréhension.

▸ Un remorquage s'effectue selon certaines règles : chaque garage opère généralement sur un territoire donné et affiche son numéro de téléphone en certains endroits précis, afin que les automobilistes puissent le repérer rapidement ; selon le type de véhicule en panne, il sera nécessaire d'utiliser un modèle plus ou moins robuste de remorqueuse ; cette dernière doit posséder des appareils et outils de qualité (solidité, fiabilité, etc.) ainsi qu'un système d'éclairage bien visible (gyrophares et feux d'urgence) ; il y a toujours des coûts rattachés à une panne comme à un remorquage.

3. Relier la métaphore à un problème auquel est confronté l'adolescent.

La métaphore peut être utilisée dans les deux sens auprès de l'adolescent, soit lorsqu'il agit en qualité de remorqueuse auprès d'un ami ou d'un membre de sa famille, soit lorsqu'il ressent lui-même le besoin de recevoir un soutien de ce genre.

Guidez le jeune dans sa réflexion sur l'aide qu'il apporte à autrui, en l'amenant à préciser tout d'abord quelles sont les limites qu'il aimerait respecter. Les jeunes donnent souvent sans compter et parfois jusqu'au sacrifice de leurs études, de leurs épargnes, des biens qu'ils possèdent ; il s'avère donc important de faire prendre conscience à l'adolescent de la mesure qu'il veut donner à son action auprès de l'autre, tout en respectant ses propres besoins et sans disparaître dans son rôle d'aidant. Par la suite, interrogez-le sur ses réflexes de remorquage : attend-il que l'autre fasse clairement appel à lui ou offre-t-il son aide spontanément, qu'importe si l'autre en a vraiment besoin ou non ? Identifie-t-il des coûts associés à ce réflexe d'aidant ? Parfois, le jeune qui se précipite au secours de quelqu'un qui ne l'a pas demandé se sent blessé de ne pas recevoir de marque de reconnaissance et de gratitude : faites-lui comprendre que, puisque l'autre n'avait rien réclamé, il ne s'estime pas tenu de devoir quelque chose à celui qui l'a secouru sans lui demander son avis. Parfois encore, certains amis connaissent constamment des pannes et requièrent des services de remorquage quasi permanents : vous pourrez faire remarquer au jeune aidant qu'il semble bien, dans ce cas, que le remorquage soit insuffisant à régler définitivement le problème et que son ami a besoin de réparations en profondeur. D'ailleurs, l'épuisement même du jeune devrait lui permettre d'identifier qu'il atteint la limite du support qu'il peut apporter. Suggérez-lui par exemple de demeurer attentif à son niveau d'énergie lorsqu'il rencontre cet ami qui doit toujours être pris en charge : sent-il que son tonus diminue au cours de cette rencontre ? Ressent-il une fatigue soudaine ou quelques vertiges lorsqu'il quitte l'autre ? Dans ce cas, recommandez à l'adolescent de communiquer à son ami les références de services de soutien qui pourront vraiment lui apporter une aide significative (psychologue, psychothérapeute, personne ressource en milieu scolaire).

Vous pouvez encore développer la métaphore en indiquant au jeune que, pour pouvoir se consacrer à son ami dans le besoin, il a installé des feux d'urgence qui ont pour effet de laisser passer loin de lui tout le reste de sa vie, les autres relations saines et nourrissantes qu'il pourrait nouer et maintenir, les activités familiales qui l'intéressent et le rapprocheraient des siens, ses études, ses relations amoureuses, ses moments de solitude et de ressourcement, etc. Si l'installation de tels feux demeure sporadique, ponctuelle, lors de périodes de grande nécessité, il s'agit là d'un comportement louable et fort charitable ; toutefois, lorsque son ami sollicite constamment son aide et exige (de façon implicite, bien sûr) que les feux d'urgence demeurent constamment en fonction, la relation devient malsaine et le support qu'il offre à l'autre ne remplit plus son office. L'un des indices qui permettra d'identifier ce type de relation à sens unique consiste dans l'attitude de plus en plus exigeante de l'autre : son ami répète-t-il de plus en plus fréquemment que *personne* d'autre que lui ne peut le comprendre et l'aider vraiment ? L'ami devient-il de plus en plus présent, en lançant des appels de détresse de plus en plus fréquents ? Le jeune a-t-il remarqué qu'il s'empêche volontairement de partager avec son ami les bonnes nouvelles et les bonheurs qu'il reçoit, de crainte que sa propre joie ne peine plus encore celui qui est déjà tellement éprouvé par la vie ? Si tel est le cas, le jeune n'est plus en relation d'aide avec son ami et a dépassé les limites d'une relation saine et réciproquement valorisante. Tentez de voir s'il est confortable dans cette relation et, le cas échéant, conseillez-lui de ramener les choses à de plus justes proportions, de s'investir beaucoup moins, de façon limitée, en se fixant par exemple une plage horaire à dédier à cet ami pour retourner ensuite à ses propres activités tout en suggérant à celui-ci des démarches auprès de certains services de soutien. De cette manière, il respectera pour ainsi dire les limites de son territoire d'intervention, celui de sa compétence ou de ses propres besoins, tout comme le garagiste accomplit son travail sur un espace donné, laissant à d'autres garages le soin de prendre la relève au-delà de sa zone.

Parallèlement, analysez avec le jeune sa façon de réclamer ou non de l'aide en cas d'urgence : a-t-il déjà connu une panne sérieuse qui l'empêchait momentanément d'avancer ? A-t-il fait appel alors à une remorqueuse ? Peut-il identifier les garagistes potentiels de son entourage, dans son réseau familial et amical, ou un groupe de soutien, travailleur social, psychothérapeute, psychoéducateur, etc., qui sauraient venir le remorquer si nécessaire ? Même si l'adolescent vous assure n'éprouver aucun besoin, si vous soupçonnez des difficultés dont il ne vous parle pas, le fait d'effectuer cette nomenclature vous rassurera et placera le jeune dans de meilleures dispositions pour requérir de l'aide : en effet, après avoir identifié telle ou telle ressource, l'idée de consulter ou d'aller rencontrer cette personne fera tranquillement son chemin. Vous pouvez par ailleurs évaluer avec lui les coûts impliqués par le fait de ne pas appeler à l'aide : un véhicule en panne ne peut plus avancer et, même s'il est parvenu à se ranger sur le bas-côté de la route, peut nuire sérieusement à la circulation. Lui est-il déjà arrivé de s'arrêter complètement à cause d'une difficulté qu'il n'a pas pu surmonter seul ? Sur quel territoire s'est-il immobilisé : celui d'une peine d'amour ? d'un échec scolaire ? d'une perte de confiance en la vie à la suite de la maladie de son père ou sa mère ?

Dernier recours d'une mère impuissante

Alors que sa fille se plaignait d'une pustule qui venait de lui apparaître au visage le jour de sa première sortie avec un nouvel amoureux, la mère a décidé de se mettre complètement nue, affichant ses bourrelets et sa cellulite. Après quoi, elle lui a demandé : « Alors, tu veux qu'on échange ? Ta pustule contre mes bourrelets et ma cellulite, ça te va ? » Cela suffit à faire taire l'adolescente pour le reste de la journée !

63. Cadenas

1. Demander à l'adolescent de décrire l'illustration à sa façon.

2. Mettre en évidence la métaphore à exploiter.

> *Pour aider l'adolescent à comprendre que certaines personnes — notamment lui-même — comme certaines situations ne sont accessibles que grâce à un code particulier qu'il faut composer pour entrer en contact avec elles.*

▸ Faites ressortir que lorsqu'on ignore la combinaison d'un cadenas, il est impossible de l'ouvrir — à moins de le détériorer. Il est en outre nécessaire de mémoriser les chiffres, leur ordre de composition et les manipulations qui leur sont rattachées (un tour à gauche, deux tours à droite, etc.) si l'on veut pouvoir déverrouiller le cadenas lorsque nécessaire.

3. Relier la métaphore à un problème auquel est confronté l'adolescent.

De même que chacun des cadenas de l'illustration possède sa combinaison spécifique, les personnes que l'adolescent fréquente (par choix ou par obligation) détiennent elles aussi des codes particuliers. Il arrive ainsi que les relations avec l'autre demeurent verrouillées parce qu'une série de chiffres erronée est utilisée. Dans ces cas, tout ce que dit le jeune semble énerver l'autre et le hérisser, tout ce qu'il fait dérange et ses gestes les plus anodins sont interprétés comme résultant de mauvaises intentions. Par exemple, avec ses parents, connaît-il la combinaison d'échanges riches et valorisants ? Avec ses professeurs ? Possède-t-il le code de certains de ses amis ? A-t-il déjà tenté de découvrir la combinaison de l'autre ? Souvent, il suffit de lui demander clairement comment intervenir auprès de lui pour ouvrir la communication (ou, du moins, ne pas la verrouiller) : l'autre pourra par exemple répondre qu'il ne veut pas qu'on lui parle sur ce ton, qu'on le regarde de cette manière, qu'on le traite de telle façon, etc.

Quel est son propre code ? Est-il trop complexe pour que l'autre puisse entrer en contact avec lui ? Se retire-t-il dès que l'autre fait mine de faire jouer le mécanisme de son cadenas ? C'est le cas des personnes timides dont le malaise à interagir se propage à ceux qui tentent de s'approcher et de communiquer avec elles : est-ce son cas ? A-t-il l'impression que les personnes les mieux intentionnées à son égard capitulent et abandonnent l'idée de dialoguer avec lui ?

L'ouverture d'un cadenas nécessite plus que la connaissance d'une série de chiffres ; de la même manière, auprès de l'autre, il faut généralement plus d'un pas ou d'une tentative d'ouverture. Faites réfléchir le jeune aux relations satisfaisantes de sa vie, celles qui sont de « qualité supérieure » : quelles ont été les démarches qu'il a entreprises avant de parvenir à ce niveau de confiance et d'estime, à cette spontanéité dans les échanges, à cette fluidité dans ses interactions avec l'autre ?

Il existe des codes pratiquement universels dans les relations humaines, qui fonctionnent avec la majorité des cadenas en cas de conflits ou de difficultés puisqu'une communication respectueuse est toujours synonyme de rapprochement : parler au « je », sans accuser ni faire de reproche mais en spécifiant seulement ce que l'on ressent ; utiliser un ton mûr, posé, en contrôle de soi ; éviter d'entrer en contact avec l'autre lorsqu'on est encore sous le coup d'une forte émotion et attendre d'avoir retrouvé ses esprits avant d'échanger avec l'autre ; être capable de présenter des excuses sincères lorsqu'on a commis une erreur ; savoir identifier les qualités authentiques de l'autre et lui donner des marques d'estime et de confiance ; ponctuer les actions de l'autre par des expressions de politesse et de reconnaissance (merci, c'est gentil, cela me fait plaisir, etc.).

64. Masques

1. Demander à l'adolescent de décrire l'illustration à sa façon.

2. Mettre en évidence la métaphore à exploiter.

> *Pour aider l'adolescent à prendre conscience de ses attitudes et de leurs effets sur différentes personnes, en diverses situations, en soulignant qu'il a toujours le choix d'adopter une disposition plutôt qu'une autre.*

▸ Prenez le temps de décrire avec l'adolescent ce que représente chacun des masques. Faites-lui ensuite remarquer que la majorité des gens portent des masques, en ce sens qu'ils adoptent certaines attitudes devant telle ou telle personne, en telle ou telle circonstance : parfois, le masque choisi est approprié, mais il peut ne pas l'être tout à fait et, dans ce cas, on ne parvient généralement pas au but que l'on visait. En effet, que l'on porte délibérément ou non un masque, l'autre réagit toujours à ce que celui-ci représente.

▸ Comment les gens, en général, réagissent-ils devant un masque heureux ? un masque triste ? un masque colérique ? Si nécessaire, faites ressortir que les émotions sont contagieuses et que les gens qui entrent en interaction avec tel ou tel masque adoptent peu à peu la même attitude ou se retirent simplement de la situation.

3. Relier la métaphore à un problème auquel est confronté l'adolescent.

Par rapport à l'école en général, choisis-tu un masque plus fréquemment qu'un autre ? Et à l'égard de certains cours ou de certains professeurs ? Que se produit-il lorsque tu portes le masque du dégoût et du désintérêt ? Comment les autres y réagissent-ils ? Amenez progressivement le jeune à découvrir sa propre responsabilité dans les réactions que les autres peuvent lui opposer, notamment lorsqu'il fait face à certaines figures d'autorité avec une attitude de mépris ou d'indifférence. En outre, il devrait idéalement prendre conscience que le masque qu'il choisit l'influence lui-même, puisqu'il se place volontairement dans telle ou telle disposition d'esprit pour considérer, juger et interpréter les choses, qu'il s'agisse de l'école en général, de la pertinence de réussir ses cours, de la volonté de réussir ou de l'inutilité de performer en classe, etc.

Connais-tu des gens qui affichent le plus souvent le masque heureux ? le masque triste ? le masque colérique ? As-tu déjà rencontré des personnes qui changent fréquemment de masque, de sorte qu'il est difficile de s'adapter à l'une ou l'autre de leurs expressions ? Quel masque préfères-tu chez les autres ? Lequel aimes-tu le mieux afficher ? Est-ce celui que tu portes le plus souvent ?

Demandez à l'adolescent d'identifier les personnes significatives de son entourage et vérifiez quel masque il porte devant chacune d'elles : est-ce toujours le même ? Si le masque est heureux et jovial, comment l'autre y réagit-il ? Et s'il affiche un masque colérique ? triste ? dégoûté ?

Pour lui faire comprendre qu'il a le choix d'adopter une attitude plutôt qu'une autre, demandez-lui tout d'abord d'examiner différentes situations qu'il a vécues, celles où il a porté un masque inapproprié qui a créé des problèmes, des blocages, des conflits. Discutez ensuite avec lui de ce qui aurait pu se produire s'il avait choisi une autre position. Il pourra s'avérer fructueux de passer en revue plusieurs masques, en faisant ressortir les nuances qui peuvent distinguer une disposition d'une autre : en effet, ce n'est pas toujours par mauvaise volonté qu'un adolescent n'utilise qu'un ou deux masques fondamentaux — et inefficaces, voire contre-productifs —, mais par manque de connaissance. Pour cette raison, il vous faudra explorer avec lui plus d'une variante du masque approprié, en évitant autant que possible celui du conformisme, de la soumission et de la servilité, en l'amenant au contraire à développer le sien propre, celui qui s'affirme, fermement, sans opposition, mais avec une inébranlable conviction d'être soi-même et de savoir ce qu'il veut.

65. Croissance

1. Demander à l'adolescent de décrire l'illustration à sa façon.

2. Mettre en évidence la métaphore à exploiter.

Pour aider l'adolescent à mesurer ses différents stades d'évolution et lui permettre de replacer ce qu'il vit en perspective, en le situant à un point précis de son cheminement vers la maturité ; la métaphore permettra également d'identifier les efforts nécessaires pour y accéder avec succès.

▸ Faites ressortir qu'il s'agit toujours de la même essence d'arbre à chacun des stades d'évolution. Attirez l'attention de l'adolescent sur la fragilité et la vulnérabilité de la jeune pousse comparativement à la robustesse de l'arbre mature.

3. Relier la métaphore à un problème auquel est confronté l'adolescent.

La confiance en soi et l'estime de soi des adolescents sont très souvent ébranlées lorsqu'ils entrent en interaction avec les autres (ce qui les remet en cause), en partie parce qu'ils sont soumis à d'importantes variations hormonales qui modifient leur apparence et leurs humeurs à des vitesses foudroyantes. Pour avoir confiance en soi, il faut préalablement savoir qui on est, ce qui s'avère difficile à déterminer lorsque notre caractéristique la plus constante est celle du changement et que l'on traverse une intense période de recherche de sa propre identité. Il pourra être rassurant pour le jeune d'apprendre que sa confiance en lui-même, qui est directement liée à sa connaissance de lui-même, évolue présentement vers sa maturité, période où il atteindra sa stabilité, sera beaucoup moins fragile aux conditions extérieures (comme aux variations intérieures) et rayonnera autour de lui, déployant ses racines, ses branches et son feuillage avec fierté. Selon le niveau atteint par le jeune, situez-le à l'une ou l'autre des étapes de croissance de l'arbre, en faisant ressortir d'une part qu'il est normal d'être vulnérable et de se sentir secoué ou brisé par ce qu'il vit ou par son entourage et, d'autre part, qu'il a comme « travail », maintenant, à ce stade de sa croissance, de grandir et de prendre des forces, en s'alimentant physiquement, intellectuellement et psychologiquement du mieux qu'il peut, en fréquentant des personnes saines et pleines de vitalité, en effectuant ce qu'exige la réussite de son cheminement scolaire, voire en s'enrichissant par une implication parascolaire ou une formation parallèle.

Utilisez les différents degrés de développement de l'arbre pour permettre à l'adolescent de se situer dans son évolution, soit dans la concrétisation d'un projet qui lui tient à cœur ou dans l'exercice d'une habileté qu'il tente de maîtriser. Le fait de recourir à cette échelle permet au jeune de reconnaître implicitement qu'il franchit actuellement un processus de développement, concédant ainsi qu'il est normal de n'être pas parvenu encore au stade du grand arbre et qu'il est nécessaire d'encourager cette croissance par des actions concrètes : il faut protéger la jeune pousse ou l'arbuste du vent (les mauvaises influences), des parasites (mauvais compagnons qui exploitent sa générosité ou le dénigrent) ; il faut encore lui apporter ce dont il a besoin, comme des engrais et certains nutriments (soit le cheminement intellectuel ou physique qui le mènera à maturité, la fierté devant le chemin déjà parcouru, l'assurance de parvenir à son but s'il poursuit dans cette voie, etc.).

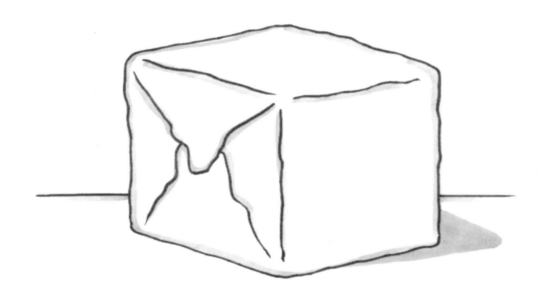

66. Emballages

Pour aider l'adolescent à évaluer l'impact de sa façon de présenter les choses ou de se présenter lui-même.

1. Demander à l'adolescent de décrire l'illustration à sa façon.

2. Mettre en évidence la métaphore à exploiter.

▶ Demandez au jeune lequel des deux cadeaux il préférerait recevoir s'il en avait le choix. Notez avec lui que la majorité des gens auraient tendance à choisir le cadeau à l'emballage soigné parce qu'il semble receler quelque chose de plus précieux que l'autre, dont le peu de valeur ne justifie probablement pas une présentation recherchée.

3. Relier la métaphore à un problème auquel est confronté l'adolescent.

Sur le plan physique, quand tu te présentes aux autres, quel effet produis-tu : celui de l'emballage raffiné ou grossier ? Les autres peuvent déduire assez justement ce que tu es, intérieurement, à partir de ton apparence extérieure. Cette technique doit évidemment être utilisée auprès d'un adolescent dont la tenue est très suggestive ou habituellement négligée (du moins, plus que ne l'exige la mode du moment), alors qu'il ne semble pas conscient du fait que les gens présument de ses intentions ou de sa valeur à partir de sa posture et de ses vêtements. Une jeune fille vêtue de façon provocante pourra s'étonner que les garçons ne cherchent à la fréquenter que pour des motifs sexuels : en lui faisant décrire ce que les autres voient lorsqu'ils regardent « son emballage », elle comprendra plus facilement pourquoi ils croient que c'est là ce qu'elle recherche. Si un jeune omet régulièrement de se laver et répugne à prendre soin de lui, de plus en plus rares seront les personnes qui s'intéresseront spontanément à lui parce qu'elles déduiront qu'il n'a pas beaucoup à offrir s'il se néglige ainsi. Il pourra s'avérer instructif de faire des essais, de voir comment se modifient ses relations avec les autres en améliorant certains aspects de son apparence extérieure. Une approche graduelle présente l'avantage de ne pas rebuter le jeune qui s'opposerait à une transformation radicale.

De la même manière, certaines jeunes filles ne semblent pas avoir d'idée très précise de la féminité et s'étonnent de voir que les garçons agissent envers elles en camarades, sans chercher à nouer de rapports amoureux. Il ne s'agit pas ici de renforcer un conformisme sexuel qui obligerait toutes les filles à porter des robes ou des nœuds dans les cheveux, mais plutôt de reconnaître ce que cherche l'adolescente et comment il lui est possible de clarifier ses intentions par son apparence extérieure.

Les paquets-cadeaux peuvent en outre servir de métaphore au niveau de langage utilisé dans les relations aux autres : les jurons et les insultes ou l'indifférence et les grommellements ne peuvent être reçus avec gratitude (personne ne souhaite recevoir ce genre de cadeau) ; en revanche, les termes de politesse, les marques d'attention à l'autre, la volonté de s'exprimer clairement suscitent en général la collaboration et le respect des autres.

Dans ses relations conflictuelles, quel emballage l'adolescent présente-t-il à l'autre ? Lui serait-il possible d'en modifier tout d'abord un ou deux éléments ? Par exemple, au lieu de refuser de croiser le regard de l'autre, voudrait-il essayer de soutenir quelques instants son regard, non pas en ayant une attitude renfrognée ou défiante, mais en faisant preuve d'une certaine ouverture ? Identifiez avec le jeune quelques comportements assimilables au paquet-cadeau invitant et amenez-le à choisir ceux qu'il se sent plus à l'aise d'expérimenter en portant une attention spéciale aux modifications qu'il notera dans le comportement de l'autre.

La recherche d'emploi constitue sans nul doute le lieu où l'apparence extérieure joue le plus systématiquement et le plus durement : l'adolescent en est-il conscient ? Sait-il comment il pourrait améliorer son image ? Ne tenez pas pour acquis que le jeune connaît exactement ce qu'il doit adopter comme posture, comportement ou garde-robe, mais faites-lui préciser le plus concrètement possible ce qu'il pourrait porter et comment il pourrait se tenir.

67. Jour et nuit

1. Demander à l'adolescent de décrire l'illustration à sa façon.

Pour aider l'adolescent à prendre conscience que sa perception peut être faussée dans certaines circonstances ou lorsque certaines émotions l'envahissent.

2. Mettre en évidence la métaphore à exploiter.

> ▶ L'éclairage peut suffire à rendre effrayant et lugubre ce qui est, en plein jour, banal et inoffensif. Il s'agit pourtant du même objet, mais selon qu'il soit ou non déformé par les conditions extérieures (éclairage, vent), il ne produit pas les mêmes émotions ou réactions chez celui qui le regarde.

3. Relier la métaphore à un problème auquel est confronté l'adolescent.

Dans les situations difficiles, maintiens-tu toujours la même vision des choses ? Est-il possible que tu appréhendes certains événements en toute lucidité, calmement et avec objectivité, tandis qu'en d'autres occasions, tu considères des situations similaires de façon plus diffuse et angoissante ? Si ces événements sont comparables, qu'est-ce qui provoque cette différence de vision ? Y a-t-il des moments de la journée où tu vois clairement les choses et d'autres où ta perception est plus brouillée et te fait voir les objets sous un angle plus inquiétant ? Insistez auprès du jeune sur le fait que l'angoisse, la déprime et la fatigue opèrent sur les événements de sa vie de la même manière que la nuit sur les objets courants : elles déforment ce qui est connu, voire rassurant, en lui prêtant des ombres incongrues et troublantes. Lorsqu'il traverse ainsi une période « nocturne », il est préférable de ne pas prendre de décision et de se méfier de sa lecture des événements. Peut-il retrouver des situations qu'il a interprétées en toute clarté ? Et d'autres où il était plutôt en mode de nuit ? Quelle était son attitude dans ce dernier cas ? Par exemple, si l'adolescent a naturellement tendance à se retirer et s'isoler, il est fort probable que ce trait de caractère s'accentue au cours des mauvaises périodes : en le sachant, le jeune peut être plus vigilant et décider d'aller chercher de l'aide auprès de personnes « de jour » avant qu'il soit captif de son interprétation extravagante. Par ailleurs, certains comportements qui semblent *a priori* réconfortants ou compensatoires, comme la consommation de drogue, d'alcool ou les abus alimentaires, maintiennent et intensifient encore les ténèbres et leur effet déformant : il importe donc particulièrement que le jeune prenne soin de lui dans ces périodes « à risque » où il se sent plus fragile et vulnérable, en prenant le temps par exemple de contempler la nature, de faire de l'exercice, de fréquenter des amis qui lui font du bien, de regarder des photographies qui lui rappellent d'heureux moments, de dresser une liste de ses qualités et de la garder sous la main, de s'accorder un répit en regardant son émission préférée à la télé ou un bon film, de se gâter un peu en achetant un nouveau livre ou un vêtement, etc. Si nécessaire, réconfortez l'adolescent en lui faisant remarquer que, de la même manière que le jour suit inévitablement la nuit, la période nébuleuse qu'il traverse s'éclaircira et il retrouvera un état de mieux-être : il suffit simplement d'être patient et de prendre bien soin de lui-même afin de ne pas faire perdurer la noirceur en nourrissant son inquiétude.

Dans nos relations avec les autres, nous traversons tous des périodes de nuit où nous ne voyons que ce qui ne va pas, souvent à la suite d'un commentaire ou d'un geste qui nous a blessé. En suivant le penchant de notre douleur et de notre peine, nous maintenons un contact exclusif avec les aspects négatifs de l'autre, sans parvenir à voir ce qui nous attirait chez cette personne ni même à retrouver le souvenir des bons moments passés ensemble. Afin d'aider le jeune à démêler ce qui appartient à l'autre et ce qui résulte de ses propres humeurs, analysez avec lui les relations significatives de sa vie, en l'amenant à départager entre objectivité et subjectivité. Par exemple, s'il en est à détester son meilleur ami, depuis quand est-ce ainsi ? Y a-t-il un événement qui a déclenché ce mouvement de rejet ? Qu'est-ce qui a vraiment changé en lui ? Que n'avait-il pas vu chez son ami qu'il a l'impression de découvrir maintenant ? Est-ce que l'opinion des autres a aussi changé à l'égard de cet ami ? Est-il lui-même passé subitement à la vision déformante de nuit ? Doit-il accorder du crédit à cette perception ? A-t-il complètement laissé tomber sa perspective de jour ?

68. Mouche tsé-tsé

MOUCHE TSÉ-TSÉ

68. Mouche tsé-tsé

1. Demander à l'adolescent de décrire l'illustration à sa façon.

Pour aider l'adolescent à réaliser que certaines manifestations sont associées à des états d'être précis, qui sont comme autant de régions spécifiques du globe.

2. Mettre en évidence la métaphore à exploiter.

▸ La mouche tsé-tsé vit en Afrique du Sud uniquement, tandis que chaque continent connaît pour sa part d'autres insectes qui ne vivent pas dans cette région.

3. Relier la métaphore à un problème auquel est confronté l'adolescent.

De la même manière que chaque région du monde détient ses propres spécificités, certains états d'être ou certaines émotions impliquent des comportements et des attitudes typiques et exclusives. Ainsi, la dépression fait naître une vision négative des événements comme des êtres qui nous entourent, entraîne des idées d'abandon, de désespoir, voire de suicide. Si l'adolescent pénètre dans cette région, il est particulièrement important qu'il ne laisse pas libre cours aux pulsions qui l'envahissent et qu'il attende d'arriver sur un autre continent, c'est-à-dire dans un autre état, avant de dire ou de faire quoi que ce soit, de formuler un jugement définitif sur la situation ou d'interpréter les intentions des autres. Toutes les émotions, dans leur phase extrême, constituent ainsi des régions « à risque » qui poussent à commettre des gestes extrêmes que l'on regrette par la suite. Dans toutes ces contrées, il faut donc être vigilant et s'obliger à prendre un temps d'arrêt pour réfléchir aux conséquences de ses actes (pour soi-même comme pour l'autre) avant de les mettre à exécution. L'idée de comparer ses états d'être avec différentes zones territoriales permet en général d'offrir au jeune une meilleure compréhension de lui-même face à l'intensité des émotions qui l'envahissent et l'aide à mieux cibler le type de réactions approprié à chacun de ces niveaux.

69. Kiosque d'information

1. **Demander à l'adolescent de décrire l'illustration à sa façon.**

2. **Mettre en évidence la métaphore à exploiter.**

   ▸ Le bureau d'information d'un centre commercial a pour fonction d'orienter les consommateurs afin de leur permettre d'atteindre plus rapidement et efficacement les services ou biens qu'ils recherchent.

3. **Relier la métaphore à un problème auquel est confronté l'adolescent.**

Pour aider l'adolescent à acquérir le réflexe d'aller chercher de l'information, qu'il s'agisse d'analyser plus clairement ce qu'il vit ou de déterminer ce qu'il doit faire dans une situation trop complexe pour que son expérience lui permette de prendre une décision éclairée.

L'adolescent connaît fréquemment des situations qui s'avèrent complexes pour lui, d'une part à cause de son inexpérience de la vie et d'autre part parce que les multiples changements impliqués par sa croissance l'obligent à s'adapter constamment à une nouvelle image de lui-même. Il s'avère donc important de lui indiquer l'existence de ressources qui pourront l'aider à traverser ces épisodes troublants de la façon la plus harmonieuse possible. Plutôt que d'errer à la recherche de ce dont il aurait besoin dans un centre commercial qu'il visite pour la première fois et où il ne possède pas encore de repère, l'adolescent reconnaîtra aisément qu'il se révélera plus fructueux de s'informer afin d'économiser temps et énergie et d'aller directement au but. Amenez-le à considérer que les situations complexes ou nouvelles constituent également des « lieux » inconnus où il risque de s'égarer parce qu'il ne sait pas encore quelle route emprunter, ni ne sait gérer parfaitement ses émotions ou ses réactions. Dans ces cas également, il est possible de se rendre au kiosque d'information, où une personne qualifiée pourra l'orienter en lui donnant des indications pour mieux vivre de tels épisodes, le rassurant d'une part sur ce qu'il est « normal » de ressentir et de craindre, l'aiguillonnant d'autre part vers des pistes de résolution du problème. Le jeune a-t-il déjà songé à se rendre à un kiosque d'information afin de mieux préciser la direction qu'il doit prendre ? Avait-il identifié un psychologue, un travailleur social, l'infirmière de l'école, un éducateur, un adulte en qui il a confiance ? Sait-il exactement ce qu'il recherche ? Pourrait-il formuler clairement sa demande d'information ?

L'utilisation de cette technique pourra sembler trop directive à certains thérapeutes qui préconisent plutôt une approche par laquelle le jeune découvre lui-même le chemin à prendre pour atteindre son but. Sans invalider cette position, fort valable dans certains cas, il faut néanmoins reconnaître que l'intervention auprès des jeunes, de par leur nature habituelle de très court terme, doit viser l'efficacité, aiguillonner rapidement leur démarche et suggérer des itinéraires par des directives claires. Évidemment, l'adolescent pourra découvrir par lui-même une foule d'éléments, mais le fait de lui indiquer une piste, une direction, n'enlève rien à la qualité du cheminement qu'il entreprend : au contraire, il connaît déjà un secteur de son comportement où il lui est possible de travailler.

70. Cordes

1. Demander à l'adolescent de décrire l'illustration à sa façon.

Pour aider l'adolescent à évaluer son degré de persévérance à l'égard des tâches qu'il doit accomplir et de ses relations interpersonnelles.

2. Mettre en évidence la métaphore à exploiter.

▸ La plus longue des cordes s'avérera la plus polyvalente et la plus utile de toutes puisqu'elle peut faire le même travail que la petite en plus d'être la seule à accomplir ce que sa longueur lui permet de faire.

3. Relier la métaphore à un problème auquel est confronté l'adolescent.

Les longueurs de corde peuvent se comparer aux degrés de persévérance qui nous caractérisent : plus nous sommes persévérants, plus nous accomplissons de choses, plus nous allons de l'avant, plus nous approfondissons et enrichissons nos connaissances, et ce, sur tous les plans de notre vie. Dans le cas de l'adolescent auprès duquel vous intervenez, à quel type de corde se compare-t-il dans ses relations avec les autres ? A-t-il tendance à couper rapidement dès qu'un inconfort ou un malaise s'installe ? Peut-il au contraire compter sur une corde plus longue pour tenter de découvrir les motifs de la réaction de l'autre et lui donner la chance de s'expliquer ? Connaît-il des personnes dans son entourage qui ont une longue corde en amitié ou en amour, qui traitent les gens qu'ils aiment avec respect en cherchant à les comprendre plutôt qu'en les abandonnant ? Comment se sent-il en présence de telles personnes ? Est-ce plus agréable que d'être devant quelqu'un dont on croit qu'il nous abandonnera au moindre faux pas ? Lorsque surviennent des conflits, sait-il comment persévérer ? Vous pouvez discuter avec le jeune des comportements passés, présents et futurs qui ressemblent à une « petite corde » et ceux qui s'apparentent plus à une « longue corde », puis vérifier auprès de lui lequel lui procure un meilleur sentiment.

L'adolescent qui éprouve beaucoup de difficulté dans certaines matières a le plus souvent une courte corde à leur égard. Vous pouvez l'aider à surmonter sa répugnance envers elles en lui démontrant que ce n'est pas tant la réussite ponctuelle dans tel ou tel cours qui importe le plus, mais plutôt sa capacité à persévérer. Il s'agit là de l'apprentissage fondamental de ses années de formation : réaliser que son sentiment de fierté provient beaucoup plus de son courage à poursuivre sa démarche et de sa détermination à réussir que de ses notes elles-mêmes. Utilisez l'illustration pour l'amener à auto-évaluer sa ténacité dans telle ou telle matière qui lui pose problème. Faites-lui ensuite comparer sa longueur de corde dans les matières qu'il aime et où il connaît de meilleurs résultats. Insistez sur la fierté qu'il éprouve en considérant sa persévérance dans ces dernières disciplines et faites ressortir à quel point elle contribue directement à renforcer sa confiance en lui et son estime de soi.

OUVERT

FERMÉ

71. ouvert / fermé

1. Demander à l'adolescent de décrire l'illustration à sa façon.

Pour aider l'adolescent à réaliser qu'il est parfois difficile d'entrer en relation avec lui ou qu'il se ferme quelquefois volontairement à de nouveaux apprentissages.

2. Mettre en évidence la métaphore à exploiter.

> ▸ Les affiches « ouvert » et « fermé » ont pour fonction d'indiquer que l'endroit est actuellement accessible ou non à ceux qui désirent y entrer. Un lieu qui affiche toujours fermé sera de moins en moins fréquenté ; en contrepartie, un endroit dont les heures d'ouverture couvrent une grande partie de la journée connaîtra beaucoup d'affluence, car l'accessibilité est devenue un critère pour les consommateurs.

3. Relier la métaphore à un problème auquel est confronté l'adolescent.

Affiches-tu habituellement « ouvert » ou « fermé » ? Lorsque les autres te voient, ont-ils l'impression d'être devant quelqu'un d'accueillant ou plutôt renfermé, qu'il vaut mieux ne pas aborder sans raison valable ? Au-delà de l'attitude générale, certains comportements indiquent également l'ouverture ou la fermeture aux autres : répondre bêtement et grossièrement, ridiculiser et mépriser sont ainsi des gestes de fermeture. Même si le jeune fréquente des amis et ne se croit pas du tout fermé aux autres, montrez-lui que de telles attitudes indiquent à ceux qui sont proches de lui qu'il est intolérant et que, sur cette base, ils peuvent légitimement craindre de recevoir ce même traitement dénigrant de sa part, lorsqu'ils sortiront de ses bonnes grâces ou commettront une erreur.

Par ailleurs, la tendance à s'isoler, à demeurer en retrait sans se mêler aux autres ni s'impliquer auprès d'eux sera interprétée comme une attitude de fermeture, même si le jeune désire profondément que l'on vienne à lui : faites-lui comprendre que sa timidité est responsable de la réaction de ceux qu'il côtoie, qui craignent d'essuyer un rejet s'ils tentent un mouvement vers lui. Parmi les suggestions d'actions qui signalent une ouverture, vous pourrez lui recommander par exemple d'avoir un regard franc et souriant, de saluer les autres au passage, de formuler des remarques attentionnées de temps à autre, de suggérer des activités ou de s'impliquer auprès d'organisations scolaires ou parascolaires.

Le comportement méprisant de l'adolescent à l'égard de ses parents finit par convaincre ces derniers qu'il est tout à fait fermé à toute communication avec eux. Amenez-le à réaliser que son sentiment d'incompréhension et de solitude ne peut être dissout par une telle attitude : s'ils ne tentent plus aucun geste vers lui, ce n'est peut-être pas parce qu'ils le détestent, mais parce qu'il leur a appris qu'il était parfaitement inutile de chercher à s'en rapprocher.

Les mécanismes d'ouverture ou de fermeture ne jouent pas seulement à l'endroit des autres, mais également envers soi-même. Ainsi, à l'égard de l'école, ses attitudes contribuent-elles à verrouiller sa disponibilité et sa curiosité d'apprendre ? Quels sont les messages qui occupent son esprit avant un cours ? Ressemblent-ils à des pensées du genre : « Pas encore ce cours-là ! Je n'aime pas cette matière, c'est ennuyant, ça ne donne rien, et le prof est incompétent » ? S'encourage-t-il dans cette voie par une surenchère sur ce thème avec ses compagnons ? Comment quelque chose d'intéressant pourrait-il traverser cette barrière ? Comment son intérêt envers la matière pourrait-il croître, avec un tel conditionnement négatif ? En réduisant la part négative de son attitude mentale envers ce cours ou ce professeur, que risque-t-il de se produire ?

72. Robinet

1. Demander à l'adolescent de décrire l'illustration à sa façon.

Pour aider l'adolescent à comprendre que sans enthousiasme et sans motivation, il ne peut espérer parvenir à réaliser quoi que ce soit.

2. Mettre en évidence la métaphore à exploiter.

> ► La différence entre les deux parties de l'illustration réside bien entendu dans le fait que le robinet fermé dans la première est ouvert dans la seconde, ce qui rend possible une foule d'activités, de l'arrosage des fleurs au nettoyage des fenêtres extérieures de la maison, de la voiture, etc.

3. Relier la métaphore à un problème auquel est confronté l'adolescent.

Certains jours, arrives-tu à l'école avec l'impression de ne pas avoir de « jus », pas de motivation à apprendre ni d'intérêt à l'égard d'un cours ? Comment pourrais-tu volontairement ouvrir le robinet de ton enthousiasme scolaire ? Si nécessaire, suggérez à l'adolescent les attitudes suivantes : se montrer intéressé à ce que le professeur explique ; cultiver le plaisir d'apprendre (en se disant par exemple : « voilà une nouvelle chose que je ne connaissais pas » ou « j'ai réussi à développer le goût de cette matière pour laquelle je n'avais aucune curiosité avant ») ; côtoyer des personnes qui ont un véritable intérêt pour une discipline et leur demander ce qui les passionne tant ou ce que ce sujet leur apporte afin de découvrir de nouveaux arguments en faveur de cette connaissance, etc. Il s'agit en somme d'enclencher une suite de comportements et d'entretenir et cultiver des pensées qui viennent alimenter le plaisir d'apprendre.

Il est possible également que le jeune ne parvienne pas à se motiver à faire ses travaux et leçons dans une matière donnée ni à faire ses exercices en classe : amenez-le à prendre conscience que cette répugnance résulte en grande partie du fait qu'il ferme son robinet lors de l'assistance au cours et verrouille sa capacité d'attention ; par conséquent, il endigue ainsi sa faculté créatrice, celle qui lui permet de combiner dans son esprit de nouveaux savoirs, de les intégrer de façon durable afin de pouvoir jouer ensuite librement avec ces nouveaux concepts. Ainsi, lorsque vient le moment de concentrer son attention sur les travaux ou les exercices, ce sont l'ennui et le découragement plutôt que la notion de défi et de jeu qui prennent toute la place. Aidez-le à faire l'analyse de son robinet de motivation lorsqu'il se présente en cours et demandez-lui de vous préciser quelles sont les pensées qui ouvrent et ferment le débit de son enthousiasme. Il pourra s'avérer utile de définir ensemble un programme pour la semaine suivant votre rencontre afin de l'aider à développer son ardeur à l'égard des matières qu'il redoute.

À la perspective d'une rencontre avec quelqu'un qui l'impressionne, de la mise en chantier d'un projet qui lui tient à cœur, de la réalisation d'un objectif qui lui semble ambitieux, comment réagit l'adolescent auprès duquel vous intervenez ? Ouvre-t-il son robinet en déployant audace et persévérance, en s'encourageant à poursuivre ? Le ferme-t-il au contraire en se sous-estimant dès le départ, en évitant ou même en fuyant certaines situations, ce qui le laisse sans confiance en lui — donc sans énergie — lorsque vient le moment de faire ses preuves ? Expliquez à l'adolescent qu'il n'y a pas de réussite possible sans volonté arrêtée d'y parvenir, ce qui signifie qu'il faut ouvrir sa confiance en soi, cultiver des pensées constructives qui renforcent ses possibilités et ses capacités, agir maintenant en prévision de la réalisation future de son objectif et savoir s'entourer de personnes qui croient sincèrement en lui, dont l'estime vient augmenter le débit de son robinet d'enthousiasme.

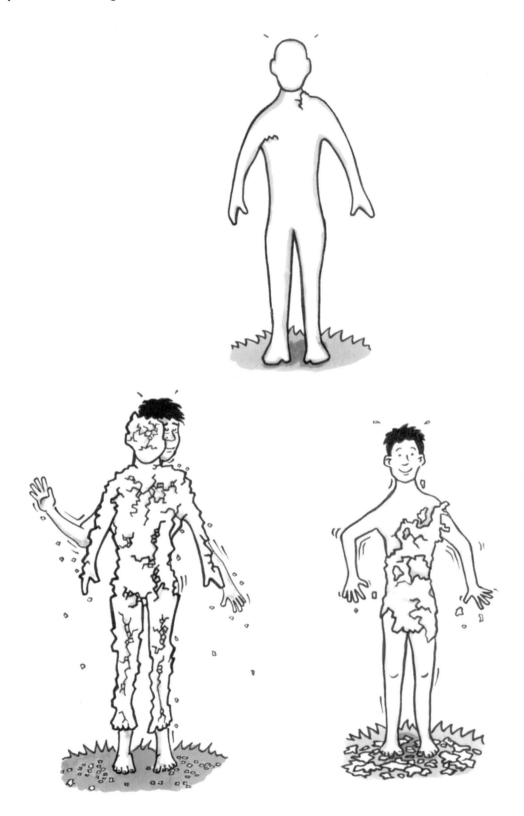

73. Sortir de sa coquille

Pour aider l'adolescent à accepter les transformations qui s'opèrent en lui et à prendre conscience de la nécessité de sortir de sa coquille s'il veut avoir accès à de nouvelles possibilités.

1. Demander à l'adolescent de décrire l'illustration à sa façon.

2. Mettre en évidence la métaphore à exploiter.

▶ Le jeune qui demeure dans sa coquille ne voit pas où il va, ne peut entrer en contact avec les autres et demeure prisonnier de cet espace confiné dans lequel il se cache. Le processus qui l'amène à sortir de sa coquille s'effectue graduellement, alors que les morceaux d'écaille tombent un à un et que l'adolescent accède peu à peu à une pleine liberté qui le rend disponible pour découvrir le monde extérieur. En outre, tant que la coquille recouvre le corps de celui qu'elle protège, il est difficile de prévoir ce qui en sortira.

3. Relier la métaphore à un problème auquel est confronté l'adolescent.

Dans tes relations avec les autres, demeures-tu enfermé dans ta coquille, en t'isolant et en ne parlant pas de toi, de tes succès, de tes craintes, de tes opinions ? En sors-tu au contraire facilement, en allant spontanément vers eux, en te montrant tel que tu es, en manifestant de l'intérêt envers ce que les autres vivent, en les intégrant dans tes discussions et tes activités ? Il peut arriver que les comportements de fermeture du jeune demeurent limités aux rencontres avec certaines personnes qui lui inspirent de la timidité, tandis qu'il communique facilement avec d'autres : votre discussion pourra l'amener à clarifier les motifs de sa gêne ponctuelle et à réfléchir sur les moyens dont il dispose pour développer un comportement plus ouvert, en faisant les premiers pas ou, du moins, en ne fuyant pas devant l'autre. Rassurez-le en lui montrant qu'il est impossible de sortir de sa coquille du jour au lendemain, qu'il s'agit d'un cheminement progressant par petites actions et approches graduelles. Faites-lui préciser quelles sont, selon lui, ces actions qu'il pourrait développer pour augmenter son degré d'aisance auprès de toutes les personnes qu'il rencontre.

La métaphore permet d'aborder le délicat sujet, pour l'adolescent, de l'image de soi : les transformations physiques et psychologiques de cette période de croissance sont plus souvent « subies » qu'accueillies avec enthousiasme. Plusieurs connaissent des problèmes d'acné, de psoriasis, de surplus de poids ou de maigreur quasi maladive, d'apparente disproportion dans la croissance (comme les bras grandissant plus vite que les jambes), de grosseur de poitrine, etc. En somme, bien peu d'adolescents parviennent à s'accepter vraiment tels qu'ils sont. En insistant sur le fait que le jeune vit actuellement une phase intermédiaire de son évolution vers sa maturité, vous lui permettrez de comprendre qu'il ne peut encore formuler de conclusion définitive sur son image extérieure (puisqu'elle est en devenir). En acceptant l'aspect temporaire de son image actuelle, l'adolescent peut ainsi attendre plus sereinement que sa coquille soit complètement tombée : cette étape permet d'alléger son anxiété présente à l'égard de son apparence extérieure et de construire dès maintenant une assurance plus ferme.

Certains éprouvent véritablement de la gêne, voire de la honte, devant l'affirmation des nouvelles formes de leur corps ; plusieurs ont tendance à vouloir remettre leur coquille en s'isolant, en évitant de se regarder dans le miroir, en camouflant leur corps par des vêtements amples qui soustraient leurs courbes. Vous pouvez suggérer, à l'adolescent qui souhaiterait ainsi disparaître, quelques exercices pour l'amener à se familiariser avec ce corps dont il se sent prisonnier, comme se regarder longuement devant le miroir pour s'apprivoiser tranquillement, essayer des vêtements différents et des couleurs inusitées pour lui, faire de l'exercice physique ou toute autre activité qui peut contribuer à améliorer son image de soi, à s'accepter davantage et à s'approprier toutes ses transformations.

La métaphore peut encore permettre à l'adolescent d'exprimer ce qu'il ressent, en identifiant l'étape actuelle de ses métamorphoses physiques ou celle de son degré d'affirmation et de confiance en soi.

Lundi
c'est le
le Premier
Jour de Semaine

74. Lundi

Pour aider l'adolescent à réaliser que certaines de ses perceptions ne sont pas fidèles à la réalité.

1. Demander à l'adolescent de lire ce qui est inscrit dans le triangle.

2. Mettre en évidence la métaphore à exploiter.

> ▸ Comme la majorité des gens, l'adolescent aura lu : « Lundi c'est le premier jour de la semaine ». Faites lui relire encore et encore cette inscription, jusqu'à ce qu'il se rende compte que son cerveau a décodé un seul « le » là où il y en avait deux et a ajouté un « la » là où il en fallait un.

3. Relier la métaphore à un problème auquel est confronté l'adolescent.

De la même manière que le jeune a automatiquement omis et ajouté des articles dans cette phrase, certaines émotions altèrent son objectivité en l'incitant à retrancher ou à ajouter certains éléments aux événements qu'il perçoit et interprète donc de façon déformée. Par exemple, s'il vient de subir un échec, le jeune peut aligner toute sa perspective à partir de ce revers et parvenir à la conclusion que sa vie *entière* est un échec — ce qui n'est évidemment pas le cas. L'intensité de l'émotion a directement pour effet d'escamoter ou d'amplifier, voire de forger de toutes pièces, certains aspects d'une personne ou d'une situation, tout comme ce qu'il a fait spontanément en lisant la phrase dans le triangle : par exemple, sous le coup de la colère les qualités de l'autre disparaissent ou, s'il est fâché contre lui-même, il en conclut qu'elles n'ont même jamais existé ; en revanche, des défauts insoupçonnés — et insoupçonnables, puisqu'inexistants — sont soudainement détectés en l'autre ou en soi. Demandez à l'adolescent de retrouver certains de ces épisodes où il a éprouvé d'intenses émotions puis de décrire sa perception de l'autre et de lui-même, à ce moment précis : une version plus réaliste des événements et une appréciation plus juste des personnes seraient-elles possibles ? L'exercice pourra évidemment lui permettre de réajuster sa vision des choses passées, mais il détient également une valeur prospective, en l'incitant à être désormais plus vigilant lorsqu'il se sent envahi par des émotions fortes et à prendre du recul avant de formuler tout jugement.

Plusieurs des relations des adolescents avec les adultes souffrent d'un manque de réalisme : chez les plus jeunes qui vivent d'intenses transformations physiques, psychologiques, mais également dans tous leurs rapports interpersonnels (en amitié, en amour, à l'école), les adolescents s'attendent à ce que les adultes, qui sont passés par là, comprennent exactement ce qu'ils vivent et sachent par conséquent répondre à tous leurs besoins. Les jeunes s'avèrent peu sensibles en retour à la réalité des adultes qu'ils côtoient. La métaphore permettra à l'adolescent de réaliser que le principe fondamental qui le guide dans sa relation avec ses parents, soit « ils devraient me comprendre », constitue en fait un « la » qu'il a lui-même ajouté à la phrase. Dans le même esprit, il omet un « le » dans son comportement : il lui revient de faire les efforts nécessaires pour mériter la confiance et la compréhension de ses parents.

Pareillement, dès qu'il formule un « il devrait » ou un « elle aurait dû » dans ses relations avec ses amis, le jeune énonce une attente — que l'autre n'est absolument pas obligé de remplir. Vous pouvez faire un tour d'horizon des occasions où il a orienté sa lecture des événements en regard de ses espérances, en l'amenant à réaliser que cette attitude se révèle le plus souvent à la source de conflits ou de mésententes.

75. Réflexes

1. Demander à l'adolescent de décrire l'illustration à sa façon.

Pour vérifier les réflexes naturels ou acquis de l'adolescent envers les personnes qu'il rencontre ou dans les situations agréables ou désagréables de sa vie.

2. Mettre en évidence la métaphore à exploiter.

▸ Certaines régions du corps réagissent automatiquement aux impulsions qui leurs sont imprimées, comme celle du genou dont les réflexes mobilisent toute la jambe, celle du pied qui se recule lorsqu'il est chatouillé ou celle des yeux qui se ferment lorsqu'un objet s'approche rapidement et de trop près.

3. Relier la métaphore à un problème auquel est confronté l'adolescent.

Quels sont tes réflexes devant une matière difficile ou un professeur qui te semble désagréable ? As-tu tendance à laisser tomber et à te désintéresser de ce sujet ou à devenir arrogant envers le professeur ? Cherches-tu des « complices » qui partagent ton opinion et nourrissent ton ressentiment ? Au cours de votre discussion, expliquez au jeune qu'un réflexe est un mouvement spontané irréfléchi, mais qu'il ne constitue pas nécessairement la meilleure façon de réagir. Y aurait-il lieu de réviser la valeur de ses automatismes dans cette situation ? Croit-il pouvoir en cultiver d'autres ?

Quels sont tes réflexes lorsque quelqu'un fait preuve de gentillesse ou au contraire de méchanceté envers toi ? Lorsqu'il s'agit d'une personne du même sexe ? De sexe opposé ? De ton âge ? Plus âgée ? D'un membre de ta famille ? D'un étranger ? D'une personne qui détient une certaine autorité sur toi ? Au cours de votre inventaire de ses réactions premières à différentes personnes de son entourage, évaluez avec le jeune si ses réflexes sont naturels, s'ils lui ont été transmis ou s'ils sont le résultat de stratégies qu'il a lui-même développées. L'exercice a pour objectif de l'aider à estimer leur pertinence et leur efficacité afin, si cela s'avère nécessaire, de les modifier ou de mieux les adapter aux circonstances.

conclusion

L'intelligence émotionnelle, bien qu'il s'agisse d'une notion toute récente, est là pour rester. Les personnes qui désirent faire une différence dans la vie d'un jeune finissent toujours par élaborer un programme de développement des compétences émotionnelles. Si l'on se fie à notre propre expérience, nous pouvons aussi reconnaître que les professeurs et les individus qui nous ont le plus marqués au cours de notre vie sont ceux qui ont su nous enrichir sur le plan humain. Maintenant, il nous revient de transmettre ces enseignements aux jeunes qui nous entourent, non seulement aux plus nécessiteux, aux plus démunis, mais également à tous ceux que nous croisons sur notre parcours. Si chaque adulte pouvait aider un jeune de plus, au moins de façon sporadique, nous pourrions assurer une bien meilleure société pour la génération à venir : moins de suicides, moins d'actes criminels et de violence, mais aussi plus de courage et de détermination à réussir, plus d'entraide et plus de paix intérieure. Les outils qui ont été proposés dans ce livre offrent des opportunités nouvelles et différentes pour accomplir cette mission. À vous de continuer à les enrichir de votre propre expérience et créativité. À vous de faire preuve de courage et de détermination pour offrir aux cadets de notre société le fruit de votre expérience, d'une manière qui leur soit agréable et assimilable, en utilisant vos meilleurs atouts — qui sont souvent la compréhension et la patience.

Serez-vous solidaire de cet engagement ?

Bibliographie

BOISVERT, Jean-Marie et BEAUDRY, Madeleine, 1979, *S'affirmer et communiquer*, Éditions de l'homme.

CLAES, M., 1983, *L'expérience adolescente*, Pierre Mardaga.

CLOUTIER, Richard, 1982, *Psychologie de l'adolescence*, G. Morin.

DOLTO, Françoise, 1995, *La cause des adolescents*, Pocket.

GAZZANIGA, M.S., 1999, « The Split Brain Revisited », dans R. Damasio, éd., *The Scientific American Book of the Brain*, Lyons Press.

GOLEMAN, Daniel, 1997, *L'intelligence émotionnelle 1. Comment transformer ses émotions en intelligence*, Robert Laffont (traduit de l'américain par Thierry Piélat, 1995, *Emotional Intelligence*).

GOLEMAN, Daniel, 1999, *L'intelligence émotionnelle 2. Cultiver ses émotions pour s'épanouir dans son travail*, Robert Laffont (traduit de l'américain par Daniel Roche, 1998, *Working with Emotional Intelligence*).

GREENSPAN, Stanley, 1994, en collaboration avec Jacqueline Salmon, *Parlez avec votre enfant : les années d'école*, Éditions Payot et Rivages (traduit de l'américain par Laurence Kiéfé, 1993, *Playground Politics. Understanding The Emotional Life of Your School-Age Child*, Addison-Wesley Publishing Compagny).

GREESPAN, Stanley, 1998, en collaboration avec Beryl Lieff Benderly, *L'esprit qui apprend : affectivité et intelligence*, Éditions Odile Jacob (traduit de l'américain par Annick Baudoin, 1997, *The Growth of the Mind and the Endangered Origins of Intelligence*, Addison-Wesley Publishing Compagny).

ISNARD, Guillemette, 1990, *L'enfant et sa mémoire*, Lacombe—Mercure de France.

NELSEN, J., L. Lott et S. Glenn, 1994, *Positive Discipline for Teenagers*, Prima publishing.

PINEAULT, C., 1990, *Le développement de l'estime de soi*, Commission scolaire de Trois-Rivières.

ROUSSEAU, Jean-Jacques, 1792, *Émile ou De l'Éducation*, Garnier-Flammarion.

SALOMÉ, Jacques, 1989, *Papa, Maman, écoutez-moi vraiment*, Albin Michel.

VAN DER KOLK, B.A., ALEXANDER, C. et McFARLANE, L.W., 1996, *Traumatic Stress*, Guilford Press.

Index des sujets traités

N.B. Les chiffres indiqués correspondent au numéro de l'illustration et non à la pagination.

ÉMOTIONS FORTES ET LOURDS ÉTATS D'ÂME

PETITS ET GROS PROBLÈMES DE L'ADOLESCENCE

STRATÉGIES À DÉVELOPPER

Également disponibles

Techniques d'Impact pour grandir : *illustrations pour développer l'intelligence émotionnelle chez les enfants*

Grandir est un sport extrême ! Les enfants ont besoin d'enseignement et de renforcement pour accomplir leur parcours du combattant et sortir victorieux de leurs écueils émotionnels et relationnels. Pour grandir solidement, bien droits et forts, les enfants et les adultes qu'ils deviendront ont besoin de développer diverses habiletés pour affronter les défis qui se présenteront à eux, ils ont aussi besoin d'apprendre à savoir « quoi faire » avec ces vagues de sentiments qui parfois les « kidnappent » ! Bref, ils doivent développer ce qu'on appelle des « compétences émotionnelles ».

Les illustrations qui vous sont suggérées dans ces pages présentent l'avantage d'aborder tous ces sujets délicats de façon objective : ce que l'enfant comprend, reconnaît et admet à l'égard de l'image, il ne peut alors que le comprendre, le reconnaître et l'admettre de sa propre attitude. De même, les solutions qu'il propose pour résoudre les problèmes des personnages, des animaux ou des objets illustrés pourront être plus avantageusement appliquées à lui-même : elles lui correspondront aussi plus fidèlement que des leçons apprises par cœur ou de grands principes dont il ne comprend pas l'utilité immédiate.

En utilisant un symbole concret pour intervenir auprès de l'enfant, non seulement vous facilitez sa concentration sur le sujet à l'étude, mais vous vous donnez également accès à un monde beaucoup plus riche, plus vrai et plus direct que celui que vous pourriez toucher par la seule parole.

Techniques d'Impact pour grandir : *illustrations pour développer l'intelligence émotionnelle chez les adultes*

Les performances intellectuelles, les diplômes et le savoir-faire technique ne constituent plus aujourd'hui la clé infaillible du succès. Pour prospérer sur le plan professionnel et s'assurer d'une bonne qualité de vie personnelle et interpersonnelle, des compétences comme la maîtrise de soi, la capacité d'entretenir des relations harmonieuses, l'adaptabilité, l'ardeur et la persévérance dans les difficultés rencontrées, sont devenues les paramètres qui font la différence entre ceux qui seront licenciés et ceux qui décrocheront une promotion, ceux qui seront comblés en amour et en amitié et ceux qui seront vite oubliés ou délaissés, ceux qui vivront équilibrés et heureux et ceux qui seront constamment préoccupés et instables.

L'ensemble de ces aptitudes forme ce que l'on appelle l'« intelligence émotionnelle » et mérite qu'on y accorde une place d'importance dans notre vie compte tenu de son rôle déterminant.

Ce livre s'adresse à tous ceux qui s'intéressent à ce parcours, qu'ils soient autodidactes, aidés ou aidants. Les exercices de réflexion et de mise au point offerts dans ces pages vous aideront à vous rapprocher du murmure souterrain de vos émotions, car la confiance et la maîtrise de soi passent nécessairement par la conscience de soi.

1020-B, boul. du Lac, C.P. 4157, Lac-Beauport (Québec), G0A 2C0

Tél. : (418) 841-3790 | Sans frais : 1-888-848-3747 | Téléc. : (418) 841-4491
Courriel : info@AcademieImpact.com | Site Web : www.AcademieImpact.com